Carlos Droguett

La señorita Lara

LOM PALABRA DE LA LENGUA YÁMANA QUE SIGNIFICA SOL

Primera Edición, marzo de 2001

Registro de Propiedad Intelectual Nº 118.184
I.S.B.N: 956-282-351-2

Diseño, Composición y Diagramación:
Editorial LOM
Concha y Toro 23, Santiago
Fono: 688 52 73 Fax: 696 63 88
web: www.lom.cl
e-mail: editorial@lom.cl

Impreso en los talleres de LOM
Maturana 9, Santiago
Fono: 672 22 36 Fax: 673 09 15

Impreso en Santiago de Chile.

La verdad es que nunca, en esos pocos años, dos o tres años nocturnos solamente, fuimos demasiado amigos, aunque tendríamos, si hubiera un poco de justicia provisoria en las desgracias, que haberlo sido, pues además de las circunstancias y lo que después ocurrió, había otros elementos comunes que nos reunían o debieran habernos reunido, la soledad especialmente. Una soledad relativa, por lo demás, la soledad provisoria y detenida de los veinte años, aunque yo todavía no los cumplía y a ella, para hacerlo, le faltaban todos los años que nos restaban para terminar las humanidades, dar el bachillerato e ir a integrar las filas de alumnos grises que empezaban a envejecer, apenas sin haber vivido, en las jaulas-aulas universitarias, cuando todavía en el tiempo, en el eterno tiempo indiferente y distante, no hace aún muchas horas, apenas unas semanas llenas de silencio y de demasiados ruidos, veníamos saliendo, caminando, corriendo, caminando lento, cuando debiéramos caminar apresurados, no huyendo, sino buscando, haraganeando desde la niñez en el hogar paterno hacia la vida y el mundo, tan llenos de gente, de exigencias, de urgencias, de gritos, de silencios enteramente abiertos para que entres por ellos. Salir de la niñez hacia la vida dije, y en realidad sólo es hacia las calles, o hacia los primeros trabajos para ganar un poco de dinero o para no ganar en definitiva nada, pues todos esos años de periodista en el diario de la calle San Diego yo no podía olvidarlos, pues adivinaba ya por entonces que algo o alguien quería detenerme para que no saliera hacia la vida o para que tampoco entrara. No, mirándola a ella caminar por el gran patio oscuro lo recordaba, no, no lo había pasado nada de bien y todavía, después de tantos años, no sé cómo no me enfermé gravemente, pues dependía de la herencia fatal de mi madre que me esperaba a la entrada de cada invierno. Hablo de mi soledad y de la de ella, pues no tengo, y ella no quiso que los tuviera, elementos ni informaciones de su vida anterior hasta esa noche en que nos vimos por primera vez y, como ocurría después, apenas hablamos. Sobre su vida, y también sobre la mía, sólo tenía sospechas y opiniones y tampoco demasiadas, de lo que en ella nos había ocurrido, que era sencillamente nada y cuando nada de nada, absolutamente nada de atroz ni de irreparable te ocurre es que estás muerto, aunque comas comida o te bajes y subas del tranvía, o, lo que es peor, es que tienes una juventud intacta, sin que ningún grito o lágrimas la sitúen, en tus bolsillos sin dinero. La falta de dinero, eso era, la cantidad de días y noches sin gastar, sin usarlos, dejándolos envejecerse y arrugarse conmigo entre mis papeles, en la pieza frontera al patiecito en la calle Maestranza, donde se había apagado mi madre, en la pieza con claraboya de la calle Copiapó, donde había contraído nuevo matrimonio mi padre, y eso, ese acontecimiento civil y burocrático, exterior a la vida y al amor, del que apenas todos los hermanos huérfanos tuvimos noticias y que sólo nos salpicó con algunas gotas de risa o de champaña, había cercenado mi vida sin que yo lo notara, sólo ahora, cuando ya no tiene remedio ni importancia, lo recuerdo y lo noto y me extraña que sólo por eso, nada más que por eso, mis hermanos y yo hubiéramos sufrido tanto sin saber que sufríamos. Cuando aquella noche de mi primera jornada de clases, me enfrenté al gran patio y la divisé sola paseando bajo las nubes cargadas de lluvia, o tal vez de un poco de brisa primaveral, pues era un primer día del mes de marzo el que se devenía rosado y tembloroso encima de los tejados, entre los humos que apartaban e impregnaban suavemente las ramas de los acacios, sí, cuando la divisé caminando pausado como una profesora en espera de su desgracia, quizás como una empleada de ferrocarril o de telégrafo por cuyos oídos pasan ruidos de trenes y de telegramas, me dijo sin saludarme, también sin sonreír me dijo señalando con sus párpados mi solapa, desde luego que tendrás que desprender enseguida esa llamada de luto en tu ropa, pues no te voy a preguntar nada relativo a eso, entonces yo me quedé también sin saludarla y caminé a su lado con una sonrisa malvada y tímida en mis labios y traté de que la mirara. Con eso enlutas a la gente y comienzas a desesperarla, agregó, y ahora yo no quiero estar desesperada. Me daba, pues, sus noticias para que yo caminara junto a ella con esa información. Sí, dije, ¿Es como si tú también anduvieras luciendo, ahí en tu blusa, junto a tus lindos labios, una franjita de papel enlutado, no? Apretó los labios y no dijo nada, pero era evidente que no se había molestado por mi observación, ella me había dado facilidades para que la hiciera, en consecuencia, lo que me había dicho acerca de mi franja de luto lo consideraba una insolencia, una irreverencia, una insolentada, ¿No es cierto? Le miré los labios sonriéndole más de más cerca y caminamos mirando el cielo bajo y nublado ella, mirándolo y sintiéndome protegido debajo de él yo, ahora estaba alegre, es decir un poco liviano, etéreo, superficial, como si nada me importara nada, como si en ese momento único que ya se había ido volando estuviera yo fuera de la tierra, del patio, del colegio, del barrio mirándola a ella y a mí acercándonos en la oscuridad, comprendiendo que era peligroso hacerlo, que era conveniente hacerlo. Y si me había dado explicaciones, ¿No había retrocedido con ellas? ¿No estaba demostrando con eso que no era tan firme como parecía? ¿Por qué estudias de noche y no de día?, preguntó ella. Yo podría preguntarte lo mismo, verdad, agregué lentamente, acariciando mis palabras, sintiendo que ellas me estaban uniendo, que nos estaban uniendo y sin embargo la sentía distante, siempre la sentía distante y sabía que así estaríamos. No me contestó sino que siguió escarbando, señalando con descaro mi solapa. ¿No es por eso, por ese pedazo de luto que se murió? ¿No es porque te sientes demasiado joven, porque tienes temor de saber todo el día, todo el largo día de este verano que estarás muchos años solo? Sin esperar mi respuesta preguntó de nuevo ¿Qué haces en el día? Una cantidad de cosas, dije suspirando con comodidad para acomodar y ordenar mis obligaciones diarias y que no se me olvidara ninguna, a veces repito el martes lo que hice el lunes y también lo que haré el jueves, pero otras veces, los días sábados por ejemplo, son enteramente míos, los sábados es cuando realmente vivo, me quejé alegremente en voz alta y ahora mismo me vi tendido en la pieza de la claraboya, tendido en la cama, con un montón de diarios argentinos que se caen por el suelo, con revistas españolas y venezolanas que compro en las librerías de la calle San Diego. Lees mucho, dijo caminando con suficiencia, alejándonos por la oscuridad y de repente se detuvo a la distancia y me miraba para compadecerme y ¿Por qué tienes que estar leyendo el mundo? ¿No debiera bastarte con mirarlo? No debe bastar, dije yo, otros, ellos habrán pensado lo mismo, como están todo el tiempo vomitando papel sucio por los dientes de sus prensas mercurio, además, ¿Sabes?, hay cosas que quiero comprar en este mundo, cosas del mundo y de fuera de él y entonces es más fácil que las recoja en los papeles y no que ande por ahí preguntándole a los profesores y a los frailes, los profesores y los frailes saben una cantidad de perfidias y de maravillas que llevan, por lo demás, su marca, ellos son los que han hecho y siguen haciendo desgraciada a mucha gente. Sí, dijo ella, puede que sea cierto, podría jurar ahora mismo, si es que tú no quieres ir a clases, pues ahí está sonando la campana, que lo que has dicho es la pura verdad, pero no te quiero decir nada si tú no dices cosas concretas y sólo insinúas amenazas y sufrimientos, pero eso es cierto. Y por lo que se refiere a la noche, la miré a ella un poquito y después a la noche, cogí sus manos, por compañía y compañerismo, no, nada de eso de los ahogamientos de los sollozos del corazón y de los gritos de auxilio de los ojos ahogados en las ojeras del insomnio, nada de eso me ha hecho desear estudiar de noche, sólo que sabes y le apreté la mano, es que quiero ser periodista y acarreo noticias de los ministerios y de la prefectura para un diario de la calle San Diego. Me di cuenta de que se había puesto celosa y furiosa cuando le cogí las manos, sin embargo ella no las había soltado, sin embargo me la apretó un poquito y en esa conmovedora e inicial dulzura me di cuenta de algo que me hizo quedar pensativo por el resto de los recreos, es que ella tenía las manos ásperas, como si fueran de tejido áspero, de tierra, de madera, como si no fueran, y al mirarlas lo eran, las jóvenes manos de una muchachita de diecisiete que se había jurado ser insolente, brusca, olvidadiza, brutal en esos pocos años en que estuvimos juntos sin, en realidad, estarlo. Era evasiva, escurridiza, vanidosa y a veces abiertamente fría y melancólica, todo eso no me lo demostraba solamente a mí, no era que yo fuera el elegido para hacerlo sufrir, y yo estaba en esa edad en que todas las mujeres me hacían sufrir, todas me daban miedo o desconfianza, hasta entonces no había tenido un profundo ataque de amor, de celos, de apasionado duelo, no sabía lo que era sufrir por una mujer, sólo había conocido el sufrimiento generalizado, con el que tú naces o creces, el que vas acumulando a tu lado, junto con la tierra de tus zapatos y las hilachas de tu abrigo viejo, no, no estaba enamorado de ninguna mujer, no tenía novia y quería tenerla, aunque no me atrevía a confesarlo. ¿Iría a ser ella?, le preguntaba a las estrellas, sentado en una piedra del patio, en el mismo trozo de terreno en que habíamos caminado y conversado hacía una hora, había tal rechazo en ella, tal altanería en sus observaciones y tal mudez en su vida, en lo que hacía y en lo que no hacía, que todo ese sufrimiento disponible me atraía y creía yo realmente que me estaba destinado, que ella me estaba destinada y lo que debería ocurrir andando los días, en el próximo invierno, me hacía así pensarlo. Por ahora se paseaba ignorándome con Daniels, Calamaris, Silvermann, Silvan y Corcuera, fumaba y se reía y en un momento, cuando pasaron ellos a mi lado, sonriendo ellos, haciéndome sus señas divertidas Silvermann, ella estaba terminando de decir todos, todos son unos desgraciados y, desde luego, unos frustrados señalados. No, no podría jurar que aquello se refería a mí, aunque tenía que referirse a mí, con toda seguridad sus palabras me estaban dedicadas, pero de mi duelo sacaba un consuelo y un insomnio para esa noche, si ha dicho eso es porque recuerda mis palabras y si recuerda mis palabras me recuerda a mí, si me recuerda a mí..., sí, era posible que fuera ella la mujer señalada, sino ¿Por qué entonces se me había ocurrido de repente inscribirme como alumno en este liceo tan alejado de mi casa y del diario? Había otros liceos nocturnos más cerca del centro, el que funcionaba en Arturo Prat, en el local del Instituto Nacional, ahí están cerca los prostíbulos de Eleuterio Ramírez y las patinadoras de la iglesia de San Francisco, y el que funciona en las primeras cuadras de la avenida Miguel Claro, ahí están muy cerca, tanto que los padres y apoderados se quejaron al Ministerio de higiene, si están muy cerca las casas de citas de Irarrázaval y Macul y las casas de ramería de avenida Matta y el que funciona en las escuelas de la Universidad Católica primera cuadra de la calle Lira, ahí están muy cerca, pero mucho más cerca de tu carne y de tu terror, Carlos, las casas de putas, de la calle Ricantén, esas que circulan por los libros que sueles comprar en las librerías de lance de la calle San Diego, murmuraba con sarcasmo, me repetía con desolación, tratando de ser injusto, bestial, obsceno, olvidadizo, lustral, pero sabiendo que me sentía herido y contaminado. Claro, en la noche, es decir en la madrugada estaba feliz en el cuarto con claraboya, pensando feliz en ella, mirándola reflejarse en los vidrios y pasar por esas nubes desflecadas que iban volando hacia Ñuñoa, quizás hacia el centro, sí, después de todo estaba contento, después de todo, al despedirnos a las once y media ella se había inclinado un poco en su cabecita y me había sonreído, no, no era una sonrisa normal y repetida, era una sonrisa especial que había acunado sólo para mí, para que la perdonara, para que la disculpara, pero qué podría disculparle si hasta había tenido sus manos en mis manos y las tenía ásperas y me había dicho, además, había dicho yo ahora no quiero estar desesperada. Por eso no podía dormir y era una felicidad en esos momentos de gran silencio no poder dormir y no tener siquiera deseos de leer una novela de Julio Verne. ¿Por qué tenía ásperas las manos? ¿Por qué no quería estar desesperada este año? Al día siguiente, es decir la noche siguiente, tendría que preguntarle y tendría que saberlo, si no me lo decía, si no decía los dos secretos que desde ya me pertenecían, me vengaría de ella. ¿Pero por qué tendría que vengarme y cómo lo haría? No sabía, no conocía la causa y tampoco conocía la manera de llevar adelante esa venganza, pero estaba seguro ahora que los dos éramos los elegidos por el destino en ese año de la década del 30, para hacernos sufrir, para matar a uno o a los dos el destino implacable, para dejarnos botados, agotados, secos, triturados desangrados, uno al lado del otro en sendos carritos fúnebres de la morgue, ella con su graciosa melena corta, algo quemada, eso creí yo y no sabía si en una escena de amor turbio, violento, devorador su dios o amante, el ciego que la celaba y la acorralaba, la había quemado con sus besos apasionados, en la boca, en los ojos, en cada ojo, en el pecho, en los senos, lo menos en un seno, con toda seguridad en uno solo de sus maravillosos senos para hacerla más humillada y más terminada, para mostrarle lo que había sido y lo que sería ya para siempre y se arrastraba su amante ciego, se arrastraba por la luminosidad de su carne para inflamar su cara, para hacer estallar sus orejas pequeñitas y dignas, su famoso cuello de estatua de carne y que crecieran las llamas desde sus labios, los del amante ciego y estival, hasta su cuerpo transfigurado e invernal, ¿Por qué invernal? pensé en un escalofrío, frío que venía al mismo tiempo de los mármoles oficiales de la morgue y también del reciente recuerdo. Sí, miraba la noche nublada y baja, tanto que si nos ponemos de pie, oye, le dije, pues ignoraba su nombre y no quería saberlo todavía, yo creo que vamos a meter las manos en esa nube llena de materiales y mercaderías, y entonces sentí el frío, no el frío que emanaba más de ella, más de sus ojos verdosos que me miraban sin reconocerme y sin recordarme, sino de sus manos, pues al darme cuenta de que tenía los dedos ásperos, quise probar si toda ella por lo menos en sus dos manos era así desagradable, dura, rechazadora y sentí el frío en esa superficie que me rechazaba y me llamaba e iba a decirle que tenía frío, que conocía muy bien el frío pues antes de venir a matricularme al liceo de noche había pasado muchos inviernos en una imprenta de la calle

Agustinas atisbando el viento, la lluvia, el aguacero, el temporal a través de las claraboyas que se repetían en el recinto y que se remecían cuando había un terremoto hacia el centro de la ciudad o la casona contigua, la gran mansión de los Larraín se remecía con los balazos que el futre le había pegado a la ramera de su mujer aquella madrugada cuando bajó del fundo, le iba a decir eso, le quería contar eso cuando ella dijo sonriendo con maldad, sí, yo siempre provoco frío, bueno, por lo menos al principio, con toda seguridad en la primera noche, bajó la voz y me mostró sus dientes ansiosos y me puse nervioso y retrocedí un poco y saqué un cigarrillo y lo encendí y ella se paró en la punta de sus pies y desde detrás de mi cabeza sopló en mis manos y apagó la llama, pero después estuvimos sentados, fumando el mismo cigarrillo con las mismas bocas y hubo, eso lo recuerdo con nitidez y esa nitidez me deja ahora, después de tantos años, mucho más solo. Sí hubo un momento en que ella dijo ¿Sabías que dos personas muy juntas, muy juntas, sin estar metidos una dentro de la otra, como debe ser y como tiene que ser cuando pasen los días y las semanas, pueden fumar un mismo cigarrillo poniendo sus labios, un milímetro de sus labios en la boquilla y respirando con calma? Así lo hicimos, con toda seguridad que así lo hicimos y ahora puedo todavía jurarlo que no me sentía nervioso, sólo elegido, sólo seguro de esas horas de la noche nublada que iba pasando, hasta que sonó la campana para que entráramos a clases y ahí estaba el profesor de filosofía, el enlutado, que luego, después, dentro de algunos meses saldría de sus trapos y de sus funerales y nos acompañaría, nada más que, en esos momentos dramáticos en que tanto lo necesitábamos, pero por ahora Padilla, el triste, el pobre, el miserable, el arromadizado. ¿Te das cuenta? decía ella, tocándome con el codo, pues estábamos sentados en el mismo banco, pareciera que siempre tiene que estar resfriado, de otra manera no sirve y no sale, creo yo, no sé si lo creas tú que la filosofía gotea también de su nariz, enviando hacia nosotros la luz empañada, en realidad húmeda de sus grandes ojos afligidos nos estaba contando sus cosas, eso decía ella empujándome su codo, eso y nada más nos está contando la historia inferior, oh pobrecito la historia interior de su vida, no pasa de esta semana que nos hablará también del suicidio, de la religión del suicidio y ¿Qué sabe él además de eso?, él no es un feligrés de mi parroquia, si no lo habré sabido siempre yo, no, él no sería capaz, Carlos, pero el profesor, como si escuchara el cuchicheo de sus pensamientos estaba lanzando preguntas desde su camisa vieja, desde sus dedos manchados con tinta, con vino tinto, con cigarrillo ¿Por qué existe la filosofía? ¿Por qué existe la filosofía sólo dentro y alrededor del hombre? podríamos preguntarnos; queridos alumnos nuevos, qué fue primero, si el hombre o la filosofía, ella me empujó el codo y me envío con esos temblores una risita deshecha, me miró rápidamente y enseguida se quedó seria, casi melancólica, parecía interesarse en las preguntas que lanzaba tenuemente, esforzadamente el profesor ¿Por qué existe la filosofía, es decir, por qué existe el hombre? ¿Por qué se piensa filosofía, se escribe filosofía, se arma esta disciplina en la que estamos entrando como un sistema tan firme y tan concreto como el de las matemáticas infinitas o finitas? ¿Será más feliz el hombre sin filosofía? ¿Sería, desde luego, más feliz sin religión? ¿Qué dicen las estadísticas a través de las tablas barométricas de los estudiosos de la sociología, incluso de las ciencias biológicas, qué dicen los psiquiatras, los psicólogos, los desde fuera de su cuerpo, pero no de su mente, mucho menos de sus prejuicios, se están preguntando desde hace muchísimos años si habría en el mundo menos asesinatos, menos violaciones, especialmente suicidios si no existiera la filosofía? Yo no sé cuándo fue que el hombre empezó a hilar sus soliloquios que formarían un sistema de desolación, de enajenación y también de indiferencia, pero cuando yo era joven, niños, pues les ruego tengan la bondad de creer que alguna vez yo también fui niño, después adolescente, y después, después... Se quedó callado para extraer su pañuelo, un pañuelo limpísimo, para sonarse, un romadizo profundo y luego nos quedó mirando enteramente solo en el mundo, enteramente abandonado en su ropa vieja, como preguntándose dónde estaba, que hacía ahí, por qué lo tenían encerrado con esa cantidad de desconocidos, y, sobre todo, por qué lo habían dejado abandonado, ahí al otro lado, aquí al otro lado, haciendo la indiferencia de aislarlo, de desterrarlo como si él estuviera apestado, como si además de la vida, estuviera contaminado por otro flagelo, sí, dijo, la filosofía y la religión, son quizás dos religiones, o quizás dos filosofías, peleándose ambas el mismo hueso, el mismo hueso que somos nosotros, nuestra posición en el mundo, en la ciudad, en la sociedad, pero entonces, ¿Qué creen ustedes, jóvenes amigos míos?, ¿Hace falta la filosofía para vivir o para no vivir? ¿Por qué la estudiamos? ¿Por qué yo, por unos pocos pesos miserables, estoy obligado a venir a este colegio nocturno del barrio a decirles unas pocas frases nada de originales, sólo envueltas o desenvueltas en un poco de desesperación o de dudas? No creen ustedes que en lugar de estar aquí un poco sentado, un poco de pie entre el pupitre, este pupitre y el pizarrón, este pizarrón, debiera mejor estar caminando a esta hora por la plazoleta del cementerio general a esperar que lo abran con la primera luz del sol y esperar que abran la iglesia de las Carmelitas ahí en la calle Compañía cerca de la Quinta Normal para pedirle una confesión al padre Huberto, yo conozco mucho al padre Huberto, lo conozco desde que se metió a fraile e incluso sé porqué lo hizo. Sí, hay modos de suicidarse, de encerrarse en una clausura para no contaminar a nadie más que no sea uno mismo, entonces ¿Por qué hacemos filosofía, por qué tenemos que enseñarla y aprenderla, y agregarla en los programas de estudio e insertarlas en las exigencias de los exámenes de finales de año y del bachillerato?

Estoy haciendo una pregunta y pidiendo por caridad una respuesta, ¿Quién me hará la caridad de pasarme una respuesta? Pero él sólo nos sentía respirar, inquietarnos, movernos suavemente en los asientos, apagar nuestros cigarrillos, hojear cuidadosamente el cuaderno para anotar una duda, dejar constancia de una desesperación, escribir pobre hombre, pobrecito, pobrecitos de todos nosotros, entramos adolescentes a esta clase y ¿Vamos, a través de sus palabras, a salir ancianos o buscando aterrorizados, amenazados, acorralados la tapa del water closet para degollarnos con la navaja de Juan de Dios el portero? Sí, dijo él, la filosofía y el que la inventó, no lo hizo por nada bueno, tampoco por nada malo, sólo porque estaba desesperado y no quería estarlo o quería desesperar a su familia, a sus amigos del barrio, a sus colegas del taller para que se desesperaran como se desesperaba él o para que se suicidaran juntos porque si la filosofía empieza a cavar en el cuerpo del hombre, porque, fíjense ustedes en cualquier tipo que ha hecho estos desmenuzados pensamientos, Platón, Aristóteles o Tomás, cualquiera de ellos, todos ellos, le está hablando al cuerpo, a la carne mortal y perecible del hombre pero quién es tocado, quién es realmente herido y contaminado es lo que está más allá de ella, más abajo o más encima de ella, su alma, su inteligencia, su espíritu y cada estación de su soledad y especialmente de su inutilidad, desmenuzando al hombre se le deja más solo, haciéndole preguntas o impulsándolas a hacérselas se le va desnudando hasta despojarlos de todo, de toda materia y toda posibilidad de materia permanente, hasta dejarlo desnudo, física y metafísicamente desnudo. ¿Es esto, pues, la filosofía? No quisiera entrar a intentar una definición y una redacción de cualidades esenciales, pero, me parece, no sé si a ustedes les parecerá también, porque aún no han tenido tiempo de sufrir, que nos estamos situando en el tema, que no es alegre, que tampoco es horrendo, que sólo es fríamente lúcido, seguro de sí, en otras palabras seguro de su inseguridad, esto es la filosofía, un terreno que tiembla bajo nuestros pies, esto es el filósofo, un tipo que sabe que se está muriendo y que nada, menos las palabras, menos los pensamientos, van a impedir su total y absoluta desintegración, ¿Estamos? La pregunta, esta corta pregunta era buena, ¿Estábamos? No lo sabía él y tampoco lo sabíamos nosotros y de eso se trataba, de dejarnos pasablemente conmovidos, pero mientras yo lo miraba, sin mirarla a ella, me daba cuenta de que ese profesor humilde, sin mucha apariencia de elocuencia y de profundidad, al hablarnos de sí mismo parado medio a medio en sus páginas de filosofía recordada, al dejarnos desesperados, se había aliviado de una carga y de una amenaza, nos había dejado solos pero él ya no lo estaba, nosotros lo acompañábamos y lo presentíamos y él lo sabía con seguridad, por eso, sentado con comodidad en su pupitre, se desabrochó el vestón gastado, se peinó un poco su cabellera frondosa, más de profesor de química o de trabajos manuales, que de filosofía, extrajo un cigarrillo y estuvo fumando con deleitación, después abrió el libro de asistencia y estuvo pasando lista, una voz mesurada, algo sarcástica y voluble que si bien venía de su cuerpo casi terminado, en realidad surgía de sus recuerdos de juventud, de adolescencia, de niñez, cuando se robó unas monedas de la cartera de la visita que estaba en el saloncito de sus padres y se fue corriendo al almacencito de los griegos a comprarse un paquete de cigarrillos Joutard. Mientras estaba pasando lentamente su vista, levantando la cabeza cada vez que alguien le contestaba, presente, sí señor presente, presente presente, mientras hacía esa volubilidad y se salía de sí mismo o dejaba lejos y olvidadas sus palabras, sonó la campana anunciando el próximo recreo, cerró el libro y mirándonos con sus ojos enormes y húmedos se fue sin despedirse, caminando diría yo que demasiado ligero, míralo como huye dijo sarcástica, riéndose con gran voz la señorita Lara, parece que va huyendo para que sus palabras no lo alcancen, pero no sacará nada el pobre, ellas, sus palabras lo estarán esperando en su cuarto de soltero, en la sillita de paja campesina que usa de velador, por lo demás no nos debiéramos reír de él, agregó ella, saliendo hacia el pasadizo, sin desear que la acompañaran, pues nos ha contado una historia interesante, ha dejado bien dibujada la historia de su soledad, pero estoy segura, no, no sé si estoy segura, de que finalmente él no se suicidará si no lo obligamos a ello, si no lo empujamos, y qué fácil nos sería empujarlo y obtener ese resultado, pero me gustan, Carlos, esas historias depresivas que levantan el ánimo, le estoy agradecida pues me siento entusiasmada, aunque no se note; sí, estoy segura de la vida, creo que no voy a asistir a ninguna clase del pobre Padilla, pues si nos sigue rociando con sus desesperaciones tan bien aliñadas y tan requetebién apoyadas en sus autores preferidos, entonces, es seguro, sí es seguro que yo tampoco lo haré, y se fue caminando, lo curioso fue que no se dirigió, como hacía un rato hacia el gran patio apenas iluminado, no, salió a la calle y se encaminó hacia la parada del autobús. Yo estuve en la esquina de la calle hasta que llegó el autobús y se subió a él. ¿Y por qué la había seguido yo? ¿Y por qué había esperado hasta tener la seguridad de que subiría la pisadera y se iría hacia la ciudad? Faltaban todavía dos clases, física y francés, ella me había dicho, incluso, que se había matriculado en el colegio nada más que para profundizar su estudio de francés, pues quería ser profesora, quería viajar, tenía un amigo profesor en el Instituto Nacional, quien la aconsejaba medianamente bien y hasta era su apoderado en el colegio. Pero entonces, ¿Por qué se había ido? Quería preguntárselo, saberlo, pero no quería preguntárselo y, creía en tan pocas horas conocerla ya un poco, me parecía que la mejor manera de hacerla hablar estaba en no tocarle el tema de nuestra clase de filosofía, del pobre profesor de filosofía, cómo la filosofía y sus letras y sus dudas nos estaban empujando, no, no voy a decir a la desintegración de nuestra adolescencia –ninguno de nosotros tenía veinte años, ni siquiera Zúñiga, el jinete, que corría todos los domingos en la primera carrera del Hipódromo Chile, y tampoco Calamari, que trabajaba de ascensorista en la Embajada de Panamá y que era hombre casado en su tierra y tenía hijos en su tierra. Ahora en Chile, en Santiago, en el barrio del colegio de los jesuitas, calle de San Ignacio, tenía una querida la cual se había propuesto embarazar y era curioso, era curioso de contarlo para divertirse un poco, cómo contaba sus sucesivas experiencias y sus fracasos– sino solamente para dejarnos pensativos y en lo que a mí respecta, con toda seguridad a dejarme insomne, para disponer del cual no me hacían falta las clases de filosofía, sólo mi soledad que yo insertaba en los materiales de construcción de mi filosofía, que según las palabras del profesor, existía aunque ella no se hiciera presente con palabras, pero ¿Era verdad que no se hacía presente con palabras? ¿Qué tenía yo fuera de eso? Ellas eran toda mi compañía, mis motivos para estar vivo, mis motivos para querer seguir vivo dentro de los próximos cincuenta años, hasta quería ser periodista como la señorita Lara quería ser profesora de francés y para ser lo uno y lo otro necesitábamos palabras, nada más que estos elementos que nos gastan y nos van transformando, sin los cuales no puede haber vida y tampoco muerte, por lo menos nuestra vida y nuestra muerte, desde el momento en que el hombre inventó el lenguaje, las palabras, las letras, desde ese momento empezó a sufrir sus complicaciones, las complicaciones que él había inventado para asegurarse en la faz de la tierra y en la superficie de su cuerpo, eso, esa duda, esa certeza tenía yo, que fue en el momento en que el hombre empezó a articular su soledad en palabras ahí y solo ahí entonces comenzó su soledad, lo anterior, la vida anterior a las palabras sólo había señalado una falta de soledad, era curioso pero era verdad, además que según las estadísticas del borde de las cuales colgaba sus palabras el profesor, el hombre es el único animal que se suicida y sabes por qué señorita Lara, sabes por qué Carlos, sabe por qué profesor Padilla, porque es el único animal que escribe libros y se sumerge en ellos para matarse o se agarra de sus bordes para no ahogarse, es decir quiere mantenerse libre para cuando pasen las semanas, los meses, los años, ir a buscar él mismo su muerte, formarla y cortarla con los instrumentos de sus palabras, con el borde de sus dientes y de sus labios para disponer de ella y de su cuerpo para hacerlos pedazos a ambos y dejar salir y perderse esas dudas que llaman inteligencia, esas obsesiones que llaman amor, desamor, odio, ambición, afán de acumular cosas en el fondo de sus manos, en sus bolsillos de género, en sus muebles, en sus cartas, sus telegramas, sus cuentas de la luz, de la sastrería, del oculista y ¿Por qué adquirir cuentas y por qué pagar cuentas si dentro de un rato, de unas cuantas horas se va a morir? Lo va a matar la filosofía o lo va a matar la realidad, de la cual crece violentamente aquella, de la filosofía que está inventando y matizando esa realidad que no te deja vivir ni morir. Eran más de la una de la mañana, me desnudé, mirando la claraboya, apago la luz y trato de no dormir. Es borracho, dijo ella, lo he visto salir de una cantina de la calle Bandera y eso, su desesperación, entonces, no parece sincera ni legítima ni personal, por qué tiene que apoyarse en el vino para angustiarse. Lo viste salir de una cantina pero no lo viste entrar dije yo, ¿Sólo por eso piensas que es un borracho? No, no sólo por eso, dijo con sequedad, como si le molestara hablar de eso o como si no deseara que yo me hiciera cargo de sus confidencias, pero no te voy a decir nada más, cualquier día vendrá al colegio borracho piojo y entonces me creerás un poquito ¿No? Me sonreí, malvadamente me sonreí y la cogí del brazo amigablemente, los borrachos sólo van a un sitio y no se cambian de él para ir a vaciar en sus mesas sus borracheras y su sed, son como los religiosos beatos que jamás mudan de parroquia ni de sacristía, podrías decirme, por lo menos, la dirección de la cantina, qué calle, qué cuadra de Bandera o de San Diego. No, dijo, no te lo voy a decir, no quiero que me sigan en mis viajes por la ciudad, Carlos, ni tú tampoco Albónico. Fue esa la primera vez que habló de Albónico y por supuesto, para que me estuviera agradecida no le pregunté quién era él y qué relación tenía no tanto con ella como con la cantina. Sí, dije, echando más lejos mi pensamiento, creo que sí es un vicioso consuetudinario, el otro día me dijiste, chica, que te gustaba la palabra consuetudinaria y también la palabra sedentaria, que en realidad son lo mismo, significan la misma inercia y desesperación, sí, seguro que esas palabras están llenas de suicidios y si él lo es, es un beato y un místico del licor y del olvido que se bebe con él, entonces con toda seguridad cualquiera noche vendrá borracho empapado o sólo húmedo a la clase. ¿Seguirla? y ¿Por qué seguirla? No era mi amor ni yo su enamorado, había en sus reticencias, en sus bruscos cambios de humor, en su elegancia desordenada con que a veces asistía a clases, en las largas e innumerables noches en que no acudía al colegio una atracción y tentación, la atracción del peligro, quizás de peligro físico a que a menudo estaría expuesta, la tentación de asomarme a esa sensación de fuga, de inestabilidad que me producía ella, seguramente sin quererlo, pero estando segura de que eso era lo que provocaba y lo que buscaba provocar, seguramente para olvidarse de sí misma y de las circunstancias de su vida en las que se hallaba y de las que no podía, o tal vez no quería salir. Un día, hacia el atardecer, nos encontramos en la Biblioteca Nacional, yo acudía a ella después de trabajar en el diario donde entregaba mi trabajo alrededor de las cinco de la tarde, a esa hora el diario estaba ya en prensa y dentro de una hora sería voceado por las calles centrales y su cuerpo pequeño estaría expuesto en todos los quioscos de venta de la ciudad, no era que fuera a la biblioteca a leer novelas, aunque me interesaban ya las novelas, especialmente las rusas, o a conmoverme con los personajes del teatro, aunque ya quería escribir obras de teatro, como los ingleses, o los escandinavos, iba ahí, a ese recinto ubicado en plena Alameda a descansar un poco, a soñar otro poco, a esperar que se insinuara el anochecer en los vidrios y entonces me iba caminando en dirección al colegio, por el camino entraba a una pastelería, me servía una cerveza o una taza de chocolate, me comía un sandwich o un trozo de queque, encendía un cigarrillo y me lo iba fumando despaciosamente. Cuando yo estaba sentado en el salón grande de lectura una sombra se deslizó a mi lado, yo no levanté la cabeza, no tenía que levantarla, no conocía a nadie, no había hecho amistades en el recinto, sólo quería tomar algunos apuntes de los comentarios literarios que se publicaban en la edición dominical de un diario de Buenos Aires, estaba tranquilo, rodeado de mis papeles, con varios lápices, algunos de color en la tarima del pupitre, con más de dos horas de solaz y de descanso antes de que asomara la noche por los vidrios. Tienes manos suaves, creo que pensativas, dijo ella en un susurro. Me sonreí sin mirarla, sintiendo su olor de ciudad, de calles abiertas, de jardines. Has estado en el cerro Santa Lucía o has caminado por el Parque Forestal, le dije, te trajiste algunas formas de perfume y hasta creo que estás de color verde, pero no en tus manos, dije mirando sus manos, que ahora me parecieron menos toscas, más razonables, menos esquivas, menos duras. Sí, dije contestando mientras ella tenía una sonrisa detenida en sus labios y se agachaba graciosamente para quitarse su gorrita, sus guantes, su bufanda de seda. ¿Mucho rato?, preguntó, ¿Estarás aquí mucho rato? Hasta que llegue la hora de ir a clases, contesté, es mi costumbre, siempre, cada día lo hago, después de almuerzo me hundo en la siesta en mi piececita con claraboya, a veces duermo, a veces sigo durmiendo y no me levanto sino para escribir un poco en mi mesita, no, no voy a clases, pero falto de todas maneras mucho menos que tú. ¿No comes, ninguna noche comes comida en tu casa o en alguna otra casa? No, contesté con frialdad, sin desear que ella encontrara énfasis, o nostalgias en mis frases, no tengo casa, ninguna casa, desde hace muchos años no sé lo que es eso, sólo un cuarto para dormir, sólo algunos libros alineados en el suelo, así a veces estoy sentado o tendido en el suelo leyendo, justo donde la luz de la claraboya me envía su rectángulo para recogerme e iluminarme. Estás conversador dijo ella, yo nunca converso mucho, me interesan más los gestos, las acciones, por eso miraba hace un rato tus manos, me gustaron un poco tus manos, no, cuidado, no hagas ninguna figura con ellas porque yo no me voy a casar con tus manos. ¿Con ninguna mano?, le pregunté y cogí las suyas y las sentí ásperas, otra vez, tristemente ásperas como si tuvieran miedo, como si esas manos sufrieran más que ella misma, aunque ella no tenía cara dramática, no, si sufriera indeciblemente no iría a estudiar de noche ni de día, sólo estudiaría su enfermedad, su soledad, su abandono, su desesperanza, esa falta de puertas en el camino de su vida. Puse mis manos junto a las de ella en el dedo meñique tenía un anillito de oro con una esmeralda, en la mano derecha tenía vagamente un anillo de compromiso, ahora se lo había puesto, malditamente ahora se lo había puesto, estaba seguro de que hace un rato, hace diez días, el otro día cuando estábamos en la noche en el patio grande no tenía ningún anillo amarrado en su mano. Son distintas, dije, son mucho más distintas que lo que debieran serlo a su misma edad, ¿Cuántos años tiene usted señorita Lara?, pregunto suavemente con un tono medio divertido, medio esperanzado. Ahora, esta misma tarde debo tener muy pocos años, ninguna experiencia y ninguna desvergüenza cuando te vine a ver, a sentarme a tu lado, a decirte, es decir a pedirte que si te parece bien no vayamos a clase esta noche. No fuimos, pues a clases esa noche, en cambio nos fuimos caminando por la Alameda hasta Santa Rosa y seguimos camino del Sur. Yo iba callado, ella iba callada, pero más viva, yo diría quizás que un poco preocupada, iba mirando las vitrinas de las tiendas encendidas, iba mirando la gente que se bajaba de los autobuses, se detenía en los paraderos hasta esperar que descendieran todos los pasajeros y que subieran los otros, los miraba en la cara, los miraba divertida, descaradamente en la cara, como si buscara algo en la cara de ellos, como si buscara a alguien escondido en la cara de ellos, estaba nerviosa pero disimulaba su ansiedad en sus gestos divertidos y en su modo pueril de entreabrir la boca, sacar un trocito de sonrisa, mostrar su lengua fina volteando entre los dientes, hasta hubo un momento en que le dio la mano a un señor de edad, encorvado, con anteojos negros, no sólo eso, extendió su mano hacia los lentes y se los quitó, el señor no dijo nada, solo alzó las manos, los dos brazos para mirarla sin sus lentes y abrió la boca para echar una palabra y mirarla a ella, con mucha dulzura ella le dijo que la perdonara, que lo había hecho porque tuvo miedo de no ayudarle bastante a bajar de la pisadera y que con el gesto se le cayeran al suelo los anteojos, su cara era humilde, servicial, asustada, pareciera, eso me pareció, que aquel señor desconocido no era tan desconocido para ella, aunque él lo ignorara, aunque ella quisiera ignorarlo, como si en las vicisitudes de la vida que vivía, en otras circunstancias, en otras aventuras y desventuras de este mundo, él hubiera sido otro, otro más al alcance de sus recuerdos, de sus celos, de su unión y desunión, como si verdaderamente ese gesto, de tenderle las manos para que bajara, de tenderle la mano para despojarlo de los lentes, ella lo hubiera estado haciendo durante años, durante todos los años que había necesitado aquel pobre anciano para tornarse un inútil, en un baldado, en un resto de ser humano. Estaba roja cuando se juntó a mí y ya estuvo quieta todo el rato, ya no hizo ninguna travesura ni juntó ninguna manía cuando cruzábamos con gente que hace un rato le hubieran llamado la atención en la esquina de la calle, en el paradero de autobuses, en la entrada de los cines o de las cantinas. El profesor Padilla estaba borracho anoche, le informé, pero estaba muy locuaz aunque parecía un poco asustado y cuando pasó la lista, después de encender el cigarrillo al terminar de hablar de Sócrates y Séneca, el suicida, pasó la lista y cuando deletreó tu nombre y vio que no le contestabas levantó rápidamente la cabeza y vio que no estabas y se transformó en un ser tranquilo y estuvo hablando un rato de otras cosas, de política, de militares, de dictaduras en América del Sur, de sangrientas tiranías en América Central y dijo, corroborando sus ideas del día anterior, yo no sé cómo y no sé cómo no lo han observado los sociólogos, los psicólogos porque con tanto atroz sufrimiento, con la sangre corriendo por los cañaverales, por las minas, por los cafetales e ingenios azucareros, y no por las venas no ha habido filosofía en este continente y se contestó él mismo porque sólo ha habido tiempo para sufrir, no ha habido y no creo que lo haya en muchos años tiempo para pensar su sufrimiento. Sí, dijo ella, es muy inteligente, tan inteligente como borracho y de todas maneras creo que se va a suicidar y de todas maneras no quiero que haga lo mismo con Albónico y por eso no me retiraré del colegio, y quiero estar presente en ese suicidio, creo, estoy además segura, que se prepara para mí, nada más que para mí, por eso Albónico anda asustado y se esconde y se disfraza de mujer, de vendedor ambulante, de turista extranjero, de viejo jubilado de los ferrocarriles, porque no quiere ser sorprendido por Padilla, en cuanto Padilla lo coge en la calle, lo arrastra a la cantina y le empieza a servir vasos de vino y de filosofía, por eso estaba nervioso y después contento, como me lo has contado, porque me tiene miedo, dime tú, por qué no deja tranquilo al pobre Albónico, que me tiene a mí para pasarlo muy mal, todo lo mal que merece mi cuerpo que él besa como un esclavo cuando le pido que me desvista, que me desvista en la oscuridad y luego encienda las luces, todas las luces. Y que Albónico entonces se acerque un poquito, otro poco, sí, otro poquito puedes hacerlo, hasta tocar mi pelo, es decir mi corta cabellera, la punta de mis dedos, de mis dedos ásperos que han sufrido tanto, no, no te rías, no lo dejo acercarse más, no puede pasar de mis extremos, mi cabellera, mis manos. Fue entonces cuando me cogió de la mano y luego el brazo y dentro de un rato se estaba quitando el abrigo en el pasadizo solitario, a media luz, de su casa de pensión de la calle Santa Rosa pasado Santa Elvira. La casa estaba silenciosa, en el fondo, muy al fondo se escuchaba un ruido de agua, un claro ruido de agua corriendo por algún jardín o manando de una pileta, desde la oscuridad llegaba el trino iluminado de un canario, en el patio feo, sombrío, presagiando desgracias, recordando antiguas penas, trepaban enredaderas, su cuarto era sencillo, su cama amplia distinguida, casi señorial, había una gran luna ovalada en el ropero, un ropero de calidad y bastante nuevo, unas cortinas de terciopelo azul en la ventana que daba a la calle por la que pasaban ruidos de carretelas, de taxis, de autobuses y de tarde en tarde el curvado arrastrar del tranvía Bellavista que daba su vuelta de regreso a la ciudad en la misma esquina, no, no había libros en la habitación, sólo en una repisita algunas piezas de música para piano y guitarra, algunos cuadernos, retratos de la señorita Lara cuando era bebé, cuando ya caminaba y usaba chasquilla, cuando se puso vestido largo y le colgaban las trenzas y los pechos empujaban su reflejo y una foto más actual, malditamente seria, fría, burguesa como si fuera una caricatura de ella, una versión detenida y petrificada de ella, la fotografía de una persona que no está viva ni muerta, no, yo rompería esa foto, pensé y le dije en voz alta por qué no echar al fuego o al water esa foto horrible, tú tienes más profundidad que esa fotografía, ¿Quién te tomó ese mono airado, quién fue el imbécil? Albónico fue el imbécil, dijo lentamente, con un tono pesaroso y esperanzador, mientras me sentaba a su lado en la cama, pero yo no estaba por ese entonces en estado de perder el tiempo, no, me quité el vestón, el sweter que me tejió mi tía para mi cumpleaños, la miré para que no mirara, pues me iba a desvestir entero y eché la llave a la puerta y ella dijo divertida, aunque no estoy seguro de que había diversión en sus palabras, no, no eches la puerta porque puede llegar Albónico y sería feo dejarlo fuera. Me sonreí y me levanté, apreté los labios y me lancé hacia ella, sólo recuerdo su pelo, su cabellera, porque había pensado todo ese tiempo que ella tenía una donosa melena corta, ¿Un poco quemados los rizos hacia las sienes? Ahora su pelo me rodeaba, me abrazaba tal como me abrazaban sus brazos, sus labios, su aliento, su mirada, no hables, no hables, no hables, dijo primero, susurró después, se quejó finalmente y tenía trozos de palabras en sus labios, trozos de palabras en sus ojos, en sus manos ásperas, en sus piernas suaves, en sus pechos que me empujaban y me atraían, es decir me empujaban hacia ella, diciéndome que allá dentro estaba ella quemándose, quemándose sus sienes y su nuca con el calor que éramos nosotros y nada importaba nada, ni el borracho de Padilla, ni el borracho de Albónico ni los porteros borrachos del liceo ni las botellas de vino borracho a través de los cuales yo la buscaba por la calle Bandera, por los bancos del cerro Santa Lucía, por los árboles orientales del parque Forestal, cuando pegó el grito se tendió de espaldas y echó un poco de lágrimas y se quedó quieta, agarrada a mí, hundiéndome las uñas para trepar por ellas, la sentí transpirada, hundiéndose por los ojos, yéndose por la noche que pasaba ahí al lado afuera de la ventana, trepada en las victorias, en los taxis, en los autobuses, en el tranvía que iba dando vueltas y del que se bajaba chillando un borracho, haciendo crujir los fierros y los cristales, ella se puso sentada, se tapó con las sábanas y me quería tapar un poquito, pero yo sólo tenía calor, sólo tenía calor y furia, un anhelante deseo de hacer daño, pero quién podía hacerle daño a un borracho, la puerta se había abierto violentamente y en el hueco estaba Albónico mirándonos, mirándonos como miran los borrachos, mezclándose con los datos que le envía su mundo desde las postrimerías de su antigua sed. En realidad no nos estaba mirando a nosotros, no, esas vacilaciones del vino en el interior de su ropa, aunque corría en realidad por el exterior de su figura, desde la corbata hasta la punta de los dedos, es decir de los guantes, que apretaban una desfigurada forma de algo que también antiguamente, antes de que crecieran las uvas en el haz de la tierra y el vino echara sus raíces en el haz retorcido del hombre, el pobre hombre había sido un sombrero, un agradable sombrero joven y deseoso de vivir, de guarecerse y soñar acciones y defecciones al lado afuera de la cabeza del hombre, del pobrecito hombre ahora arruinado y empapado que nos miraba sin mirarnos, que nos veía sin vernos, sólo viéndose él en el espejo empañado del crepúsculo, pues un encendido y entusiasmado, y también tímido crepúsculo se insinuaba en los vidrios de la ventana, en los vidriosos ojos de Albónico, en las vidriosas manos del pobre Albónico que ahora estaba tratando de sacarse los guantes, uno a uno se estaba sacando los guantes de una cantidad de manos jóvenes, torpes, desamparadas, solas, cínicas que se le iban por la cara para buscarle la cara que se le iba por los ojos para taparle y robarle los ojos y que no mirara en absoluto este pobre infeliz que antiguamente estuvo tan enfermo de la vista, me decía en la cama, es decir en el lecho, es decir en la juntura de sus pechos pequeños y cordiales la señorita Lara, oh señorita Lara, oh María Inés, no, no podemos sujetar al tiempo como yo te sujeto las manos, el pelo, el aliento, tus gritos para entrarme en ti y dejarte acallada y cerrada para siempre en esta eternidad de un barrio pobre en mis pobres huesos, en mi pobre carne que ahora se está entibiando, sí, pobre y ciego, ciego y cada vez más celoso; no crees que fui leal entonces, leal como ninguna, como ahora mismo lo estoy siendo, pues si él me falta, pues sabrás tú que tú eres sólo un paréntesis una bocanada de aire, hasta de tempestad en mi pieza pobre de estudiante sin trabajo y sin esperanza, pero a él lo quiero, si él me falta lo mato primero a él, a él primero, y me besó en la boca y se sentó muy desnuda y tibia en su cama y le dijo a Albónico, vete al baño Albónico porque Carlos y yo tenemos que vestirnos, es una cochinada lo que haces Albónico, has olvidado ya cuando te saqué de las tinieblas y guiaba tus manos torpes, tus pobres palabras desamparadas por mi cuerpo que buscabas y no encontrabas, vuélvete hacia la pared Albónico mientras tú te secas la borrachera y ordenas tu cuello y tu corbata corrompidos y podridos estaremos vestidos como estábamos vestidos hace un rato cuando todavía tú estabas jugando al cacho tus vergüenzas y tus desvergüenzas con tu infeliz amigo Padilla ¿O no, Albónico? Albónico se inclinó un poquito en el cuartito del baño, vuelto de espaldas en el cuartito del baño buscándose una mano, la mano derecha, sólo encontrando la izquierda que se rascaba un poco de recuerdo por la espalda, inclinado como si quisiera inventar una silla en las baldosas del baño, enciende la luz Albónico, dijo ella y echa tus miradas por el espejito. Albónico encendió la luz y echó sus miradas por el espejito; ahora Albónico, sé dócil, ciego mío, sé servicial y esclavo, siervo mío, ahora apaga la luz Albónico y trata de mirar en el espejito, no, no lo muevas tanto lo has dejado torcido y hecho una calamidad, claro habrás estado bebiendo desde la madrugada pues desde la madrugada me estuve enfriando en la cama sola, una mujer, cualquier mujer, y yo suelo serlo a veces, desde que quedaste ciego en esa desgracia, es que yo era un poco mujer, con garras, con dientes pero tan dulce al otro lado de mis malezas; oh Albónico que bien está que hayas respirado profundo, si respiras cada cuantos días así, podríamos vivir como antes, pero yo estoy segura pobre Albónico pobre María Inés, que jamás, jamás en la vida de tu profesorado, jamás en mi vida de estudiante nocturno volveremos a ser lo que no fuimos, ¿Por qué no haces como seguramente hará un día tu amigo Padilla, mi profesor Padilla, nuestro profesor Padilla? preguntó con dulzura y escozor mientras me plantaba un beso, el último en plena boca. Albónico había apagado la luz y le había dado una bofetada a la ampolleta, con el primer golpe la rompió, con el segundo se rompió la mano y ahora mismo se estaba secasobando la sangre y acercándose a nosotros, se veía dulce y triste, avergonzado sólo por eso, porque yo, desde luego, yo más que ella, lo estuviera mirando tan decaído y derrumbado, golpeado una y otra vez por el vino, como él había apagado la luz hasta romperla, ella le miraba la mano que empezaba a sangrar y había en su sonrisa un resto de crueldad y de esperanza, la crueldad la comprendía pero la esperanza no quería comprenderla y aceptarla, ¿Lo amaba, lo odiaba, me amaba, me estaba utilizando? Albónico está sentado a los pies de la cama, no mirándola a ella que estaba todavía desnuda, sólo me miraba a mí, una mirada sin odio, tampoco con simpatía, yo diría que ni siquiera neutral o indiferente, algo curiosa, una mirada que estaba sólo recogiendo datos para después, dentro de algunos días o de algunos meses, cuando él por fin decidiera echarlo todo a la mierda y romper con la señorita Lara y entonces se comenzaría, tal vez en otro sitio y otras circunstancias, sí se comenzaría a sobar la sangre a mirar hacia la cercana distancia, el banco de la cárcel, la reja de la cárcel o del cementerio. Ahora suspiró y suspiró una sonrisa corta y seca, una sonrisa que estaba seguramente dormida en el fondo de su ropa o de sus zapatos cuando anoche, a las doce de la noche lo fue a buscar Padilla y primero se metieron a la cantina del teatro Carrera, a una cuadra del colegio y estuvieron ahí cuando Giovanni apagó la luz, le dio el vuelto en la oscuridad y los empujaba hacia la neblina, ellos se fueron rezongando, él se estremeció de frío y echó de menos la bufanda, la bufanda estaba ahí, en el suelo, colgada en el suelo, aplastada por la cortina metálica que Giuseppe había cerrado no del todo para que saliera toda esa porquería de aire llena de vino, de sandwich y de restos infectos de profesores de colegios de barrio, la señorita Lara lo miraba con lástima, con cariño, hasta con piedad, me tenía a mí, que estaba sólo con pantalones, pero con el cuerpo desnudo, me tenía cogido del brazo, ahora cogió el brazo a Albónico, que dejó caer los suyos, abrió las manos y desparramó unos cuadernos húmedos por el suelo, ella le acarició la cara y le peinó el pelo, mostró con los labios los cuadernos y le preguntó ¿Pruebas de trimestre de tus cariñosos alumnos?, declinaciones de la tercera persona del plural del verbo *avoir*, forma antigua, dos y tres preguntas incisivas acerca de la violenta aparición y desaparición de la lengua de *oc* y de *oil*. Oh, Albónico, querido Albónico, queridísimo Albónico, ¿Mi lengua es de *oc* o de *oil*? Qué piensas tú, no quieres saber lo que piensa Carlos, se volvió hacia mí y me desordenó el pelo, ¿Qué piensas tú, Carlos, qué pensabas hace un rato cuando estabas todo entero tú metido en mi boca sólo en mi boca? de *oc* o de *oil* es mi lengua querida, adorada, deseada, odiada al mismo tiempo por ti y por Albónico. Oh, no creo yo, dijo riéndose sin ganas, no quiero serlo, no me habría gustado serlo, esos normandos eran unos fríos y unos friolentos, enfriaban todo lo que tocaban, por eso ellos, es decir sus mujeres inventaron el adulterio y ellos, pobres resfriados, el crimen pasional que empapa la novela francesa, ¿Qué habría hecho esa pobre novelística si no hubieran sus pacientes cornudos de maridos inventado el dormitorio? Estaba ahora mismo abrazada a nosotros dos, besó en la mejilla a Albónico, se limpió los labios, me besó en la mejilla, se limpió los labios y dijo con dulzura ¿Quieres vestirte Carlos? Ahora no, no puede ser, ya llegó Albónico y él me va a decir ¿Por qué todavía no se ha suicidado Padilla?, ¿Por qué no lo ha hecho, Albónico? ¿No crees que es una falta de consideración y de leal amistad para contigo que los haya hecho soñar y difariar en todos los aposentaderos de borrachos piojos de Santiago? Si te estimara verdaderamente, eso creo yo, que no soy nada de pasional y desgraciadamente muy lúcida, y eso es lo que me hace temer que hay unas gotitas de fría sangre normanda corriendo por las apeliladas venas de mi apellido materno violentamente afrancesado, sí, creo y puedo jurarlo y firmarlo con mi sangre, que algún día vas a hacer correr este infame de Albónico, que no es nada amigo tuyo ese profesor empapado, además, en filosofía. ¿Por qué estudia filosofía y se emborracha? ¿No es eso algo así como ser dos veces borracho o dos veces filósofo? No, creo yo, dijo ella, poniendo sus labios conjuntamente en nuestras dos bocas que ella había acercado, de manera que Albónico olía el olor de ella en mis labios y yo olía a él y olía a Padilla, puso sus labios en nuestros labios frágilmente hermanados, provisoriamente cómplices para besarnos y fumarnos juntos, creo, sí, estoy segura de ello, que la civilización, esta corrupción que ustedes los intelectuales llaman civilización tuvo su turno numerado y fijado, primero la mujer, después el amante o el querido, como ustedes intelectuales podridos dicen, pero yo diría que primero la mujer, después el amo, el marido es algo secundario son unos flecos que salieron a las cegatonas lesas, después el adulterio, si tú quieres el dormitorio después el vino y finalmente el suicidio, el suicidio es la muerte natural, no te aparece, Albónico, yo creo que es la única enfermedad decente en este mundo que se está cayendo a pedazos ensangrentados, me besas Albónico, me besas Carlos, ya ven, ustedes, si se quieren bien, si me quieren bien se estarán repartiendo en el maravilloso mantel de las ilusiones perdidas el pan transitorio de mi total, enteramente, desnudo; yo no, yo soy casta, yo estoy siempre, siempre estaré cubierta, tapada, prohibida por mis gestos inconclusos, por mis incertidumbres, por mis vagas dudas que me vienen a buscar y después de acorralarme y hostilizarme, me están empujando los párpados bajados y yo durmiendo adentro para despertarme e insultarme y gritarme preguntándome si el profesor Padilla, nuestro inteligente y querido profesor Padilla se va a suicidar o no, es decir si es tu amigo o no. Necesitas un suicida en tu familia... dijo en un sonsonete intelectual Albónico, y se puso de pie, pues yo acababa de empujarme la camisa por la pretina y me había abotonado el pantalón y me había ceñido el cinturón y estaba buscando con la mirada el vestón y hasta tuve la villanía de mirar la hora en mi reloj pulsera. ¿Se dan la mano como buenos pensionistas hambrientos, ya que comen no sólo en la misma mesa sino que también la misma comida? dijo sarcástica ella y yo miré la puerta, miré a Albónico y le di la mano, él me la dio demasiado apresuradamente, sentí sus uñas, me las va a clavar, pensé y pensé no dar muestra de dolor, pero él aflojó sus dedos, no se atrevió, no, empezó a retroceder en sus dedos, en sus manos. Antes de salir me cogió la cara y me besó en plena boca, en ese momento Albónico estaba buscando la forma de su sombrero empapado y deshecho y ella tuvo tiempo, mientras todavía me tenía cogido, existen los baños, el baño, tu baño, mi baño, nuestro baño, Albónico, cuándo vas a declinar un poco tus suciedades para que puedas conjugar mi nombre, primero mi nombre Albónico como tu dios desarrapado y mi dios odioso y sensual, el dios ardiente que me come y que me quema y que no quiere comerse ni quemar a Padilla, ¿Nos desean y nos gastan? Al salir dejé la puerta abierta, sentí unas palabras en la oscuridad, unas palabras sin principio ni fin, como un rezo, después un grito, un grito de mujer, tal vez escuché mi nombre, con toda seguridad escuché mi nombre, pero estaba cansado, soñoliento, cobarde, sí, fue necesario que estuviera cobarde y no quería saber si ese grito que era para mí y que no era para mí estaba además mojado, empapado, se sintió un crujido de cristales, después el silencio, parado en el silencio un perro empezó a ladrar, después, enumerando sus ladridos tendido en la inmensa noche sus aullidos, eché a correr. Al día siguiente la señorita Lara no fue a clases, tampoco fue el profesor Padilla, hubiera podido jurar que Albónico había faltado a sus clases en el Instituto, todos habían faltado a sus deberes, no se habían atrevido a salir hacia la luz, hacia el ruido, hacia las esquinas de las calles donde se juntan los papeles escarmenados por el viento, las polleras de mujeres que ya se envejecieron y se evaporaron, los niños que estupefactos fueron violentamente sacados por un golpe, niños estupefactos, tan estupefactos que hasta se les habían secado las lágrimas y los gritos, fueron sacados violentamente, en realidad desarraigados, goteando su sangre invisible de la niñez, de la camita inocente, de sus sueños, de sus terrores de su soledad cuando decían, si el papá bajaba por la escalera, si la mamá salía por la mampara y la puerta, no te vayas, no me dejes solo solito, sí, también, aunque no pude dormir aquella noche, aunque dejé enfriarse el café en la cafetera que me había regalado mi tía, y no me lo bebí y tenía unas lejanas náuseas, un antiguo deseo de sollozar, de pena de soledad, de alegría, de duda, de satisfacciones cercenadas, también yo no hice nada aquella larga mañana friolenta, no fui a mis clases en la universidad, no fui a mi trabajo en el diario, segunda o primera cuadra de la calle Arturo Prat, no, en la mañana me lavé cuidadosamente, me estuve aseando durante largo rato frente al espejo sentado en el pisito que me había regalado mi tía, después me peiné sin apuro, me despeiné, me pasé la escobilla por el pelo, me senté en el suelo, volqué el pisito que me había regalado mi tía y empecé a acariciar el pelo, áspero, brillante, cortado, estupefacto como su pelo, pero por qué había pensado yo, o es que la había encontrado antiguamente, cuando recién se bajaba ella del tren que la traía de Llay Llay y estaba vestida de primavera y olía un poco a primavera mojada y estaba deslumbrada bajo el enorme techo de la Estación Central mientras el tren le echaba bocanadas de humo rechazándola o empujándola hacia afuera; también hacia afuera de sí misma, por qué; sí tenía una cantidad de trenzas, tanto que me rogó que me acercara a ella si quería besarla y que me cogiera de ella si quería acercarme como se acerca la pasión en la religión, en la filosofía, la pasión desordenada y desencuadernada, Carlos en los libros empastados del pobre Padilla y del pobrecito Albónico, por qué entonces yo la veía, como la vería luego dentro de muchos años, con su cabellera algo rubia y quemada, algo enrojecida y chamuscada, decía ella que era por los besos ardientes del pobrecito Albónico, pero se quedaba callada, torcida, difícil, como si pensara que no debiera estar inventando mentiras frágiles y dejarlas frágiles enfriándose junto a sus sienes mientras yo le miraba esa quemazón que luego vería de más cerca, luego, luego, es decir anoche, suspiré y me fui caminando, recuerdo que a mi lado pasaban a esa hora de la mañana insulsa tranvías vacíos, taxis vacíos, carretelas vacías de regreso del mercado y la vega, sólo repleta con su carga vacía de hortalizas, carretones panaderos, carretones carniceros, carretones lecheros, rubios, enrojecidos, blanquecinos, desangrados, todos vacíos para que me subiera pasajero en ellos para que me codeara con sus maderas, sus fierros, sus tapices, sus géneros, sus vidrios descoloridos y flacos, flacuchentos, muriéndose de tisis, de agonía, de destierro, caminé por la calle Lira mientras a mi lado pasaban gentes que salían de la iglesia, que entraban a la cárcel de mujeres, que se juntaban en el policlínico que olía a encías sanguinolentas y a manos deslavadas de matrona, a mi lado, frente a la universidad, pasaban monjas, frailes, canutos, pasaban velas de ceremonia, de matrimonio, de bautizo, de honras fúnebres, tenía un nudo en la garganta, tenía deseos de llorar, de llorar y de llamar después de tantos años a mi madre, sentí escalofríos mientras esperaba que en la esquina de la Alameda cambiaran las luces del tránsito, me empujó un poco de viento y de agua lanzada por un camión que iba regando la calle, atravesé hacia el cerro y me derrumbé en un banco del parque frontero al de la Escuela de Pintura de Bellas Artes mirando los vidrios de colores del palacio, mirando los inmensos plátanos orientales que se curvaban en el viento y la neblina me quedé dormido. Debí dormir una cantidad de horas y sólo el delgado sol que me acariciaba las manos heladas me despertó, también el ruido y las luces que venían directas desde Providencia hacia el parque, en el gran reloj de la escuela universitaria, a la cual no había asistido a las clases de la mañana, eran más de las tres de la tarde, pero el cielo estaba tan bajo, tan nublado, tan silencioso a pesar del ruido de los automóviles, de los autobuses y de los tranvías que parecía mucho más tarde, no tenía deseos de ir a ninguna parte, tenía miedo de ir a todas partes, especialmente a mi casa de la calle Copiapó, o a la esquina de la calle donde se alzaba el liceo nocturno, dentro de dos horas llegaría el portero Juan de Dios a abrir la puerta, a abrir las ventanas, a sacudir un poco los pupitres, a poner unos lápices de tiza en los pizarrones, a darle cuerda al reloj de péndulo de la oficina de la secretaría que tenía la esfera quebrada y uno de sus brazos torcidos, así anda el tiempo aquí y en todas partes, en todas partes se repite ese mismo reloj, Carlos, decía hace muchos días o muchos años la señorita Lara, ¿No crees tú que son unos salvajes descreídos los que no tienen ni siquiera respeto por la gran esfera que va marcando nuestros pasos, nuestros movimientos, parpadeando y deslizándose junto a nosotros, haciéndonos primero jóvenes y llenos de alegría y después haciéndonos viejos y llenos de sinsabores?, no, decía ella, sí, repetía ella, se lo repetía a sí misma, si tú miras ese reloj horrible, torturado, deformado, pensarás que no hay ninguna gente buena en la ciudad y menos en el colegio, ¿Qué crees tú de verdad? ¿Por qué piensas que se emborracha cada semana el profesor Padilla? Si no enteramente serio, enteramente divertido, no hay términos medios para un calvo, con razón Sócrates lo era y no sólo por su desafortunada juventud y tampoco por su vida fracasada en la que no llegó a nada, en la que no se recibió de nada, tampoco de hombre se decidió beberse su vaso mediano de cicuta, no crees tú que ese trago verdoso de veneno, esa borrachera vertiginosa que lo entregaba coronada de las moscas azules de la muerte, que lo coronaba de inmortalidad y de animalidad lo empujaron al suicidio, no, no lo mató el tirano ni lo denunció el envidioso de Anito, era la vida la que lo había sentenciado, porque ese solterón insigne, ese cesante maravilloso, aquél que jamás le trabajó tres horas a un ricachón ni a un proletario, ni en la mina ni en las viñas, arrojó con desprecio, con divertida tragedia, un montón de inquietudes, de preguntas arrugadas sin respuestas a los hombres que vendrían detrás de él a escarbar sus palabras y su vida sin anécdotas, no crees tú que el profesor Padilla, el infeliz Padilla se arroja al vino porque no se atreve a arrojarse al suicidio, no tiene fortaleza para arrojarse toda su envoltura carnal, que es por lo demás tan breve, a las aguas horrendas del río Mapocho, del río Maipo, del río Bío Bío, sólo se atreve a pisar el felpudo del bar y restaurant Zun-Rhein para ahogar, adormecer, anestesiar, matar a su lengua, que es, por lo demás, lo único vivo en él. Sí, dijo ella sentándose en su banco y mostrando sin pudor ni coquetería sus muslos bajo su falda del año 30, ahora estoy segura de que lo que hemos esperado tanto no va a ocurrir, para suicidarse hay que tener coraje y Padilla no lo tiene, ¿Cómo se va a matar si ya está muerto? En eso, en esas visiones y conversaciones pensaba mientras vagaba por las calles sin rumbo, agradecido de que bajara luego la noche a guarecerme un poco a disimularme, tenía un poco de miedo a la luz del día, tenía un poco de terror a ir a refugiarme en las calles del centro, pasar por Ahumada, por Bandera, por Compañía, por Huérfanos, bajar por Bandera hasta la esquina del banco y asomarme a las cortinas del bar restaurant a mirar si estaban ahí el profesor Padilla y el profesor Albónico, agarrados a sus jarros de vino, lanzándose el líquido al rostro para ahogarse, salpicarse, derramarse ellos también un poco. Hice el camino que no deseaba hacer, cuando pasaba un tranvía, me ponía de espaldas y me detenía frente a una vitrina, no quería ver los rostros que subían o bajaban, me estaba ahí hasta que lo sentía irse entre ese ruido de campanillas, de luces, de conversaciones, de risas dispersas, bajaba a la calle, me distribuía entre los automóviles detenidos hasta alcanzar la vereda y bajar a la otra calle sorteando las luces rojizas verdes amarillas de las limosinas de lujo y de los cochecitos destartalados de alquiler, entraba a una botica, compraba un sobre de aspirinas, me demoraba mirando los estantes con remedios, las vitrinitas con perfumes y colonias y polvos para la toilette de su mujer, de su hermana, de su comadre, de su querida, de su cadáver, había polvos mortecinos, pomadas para empastar piernas que se helaron hace muchas horas, muchísimas fiebres, líquidos verdes, rojizos, azules, relampagueantes, para el dolor de cabeza, para la neuralgia, para los cólicos, que te tentaban con sus llavecitas de agua minúsculas y sus vasitos de juguete, alguien adentro en los almacenes se reía, alguien lloraba entre los paquetes de algodón, alguien vociferaba encerrado en la jaula de fieras del ascensor, el ascensor echaba llamas, cortas llamas enfermas que salían pidiendo disculpas y alzaban los muñones informes de sus humos, resonaba el rugido de un carro de bomberos, la delgada sirena de un carro de la asistencia pública, en una esquina una guirnalda de luces del teatro daba vueltas sobre la última película en cinemascope del profesor basura, el gran trágico del cine y del teatro alemanes, la calle Bandera estaba silenciosa, con sus cantidades de bancos comerciales cerrados, con las oficinas de sus compañías de seguro apagadas, con los letreros de los abogados, de los dentistas, de los médicos, de los corredores de frutos del país y de animales de raza para regar las nobles tierras de Melipilla, estaba adormecida, anestesiada la calle Bandera, el cine de la calle Metro estaba detenido, sus luces detenidas, sus parroquianos muertos comprando entradas a un boletero muerto en la ventanilla de la platea alta, por el suelo volaban papeles, proclamas, boletos de tranvía y de autobuses, se deslizaban sombras, perros famélicos, sombras de perros famélicos, un pordiosero que acaba de despertar en su rinconcito de la calle, entre el negocio de licores y el hotel mundial donde dentro de unos meses conocería a mi futura mujer, una prostituta, dos prostitutas, tres prostitutas se distribuían los retazos de luz y sombra de la calle, detrás de la puerta cochera una de ellas, alzada la pollera se arreglaba unas ligas rojas sangre, más allá, un borracho, un borracho muy delgado y muy digno en su abrigo de gabardina, orinaba a la luz de la noche, el restito de su cuerpo producía más que repudio y asco una gran dignidad, deseos de llorar, deseos de echarlo a la basura, me fui caminando sin desear llegar a mi casa, en una fuente de soda de la tercera cuadra de San Diego pedí un café puro, bien caliente, pues tengo mucho frío, por favor y un pastel que no pensaba comerme, todo para justificar el consumo, en la fuente de soda no había más de una pareja aburrida, al otro lado de los vidrios, él tenía lentes y con ellos me relampagueaba para espantarse unas moscas que le salían del recuerdo, a mi lado, dos pisitos más allá, junto a la caja de músicas bailables, muda por milagro y felicidad, un tipo dormitaba junto a su vaso de cerveza, era joven para tener un sueño tan antiguo, de repente despertó, me miró con odio, sacó un cigarrillo, se trajinó unos fósforos y los raspó como si me los raspara en la cara, yo comencé a revolver la cucharita en el café, me sentía enfermo, me sentía hastiado, me sentía de cincuenta y ocho años y siete días, nacido en la madrugada de un mes de octubre friolento y caluroso, pesado en ese barrio de la plazuela de San Isidro que había transitado durante todos esos largos años de mi adolescencia, el tipo del vasito de cerveza se bajó del pisito y se encaminó hacia donde yo estaba, me bajé también y salí a la calle, enfriándome como se enfriaba mi café bien caliente, por favor, ¿Qué haría a esa hora sino irme a mi casa y tratar de dormir un poco, o de no dormir? De repente, al mirar en la memoria mi pieza de claraboya, con su cama deshecha, la cual yo estiraba generalmente en la noche, después de regresar del liceo nocturno, con mis pobres libros acumulados junto al lecho, en el pisito que me había regalado mi tía, con el gran mapa de América frente a mi mesa de escribir, mi mesa de patas retorcidas con su solo cajón gran cajón repleto de cartas, de cartas de vagas pololas, de solicitudes de empleos que jamás prosperaron, de recortes de diarios, biografías de grandes artistas del teatro francés, inglés, alemán y norteamericano, con algunas fotos que más que amar envidiaba, Mozart, Rembrandt, Van Gogh, Utrillo, quien todavía no se había muerto de borrachera y de genio y con el que soñaba a veces y de algunos de sus cuadros había intentado, y creo ahora que lo había logrado, describir en dos o tres páginas, es decir pintarlo con palabras, no había otra cosa en mi cajón, sólo papeles, papeles que podían ser quemados, aventados si algún día bajaba un poderoso viento por la claraboya que me permita respirar y aspirar mi juventud y me decidía, nada más en este mundo, a ser medianamente hombre, hombre ciudadano del montón, ese montón que se trepa y baja de la vida y nunca se tocó la carne, el hueso que era él, el sueño y el ensueño que era él para decir, mortalmente furioso y enamorado de sí mismo estoy vivo y por eso quiero vivir, no, nada de eso había en mi pieza con claraboya y ahora a esta hora sentía que me llamaba, tenía también sed y con esa sed debería quedarme dormido, mientras me acercaba sentía un poco de recelo, miedo, desconfianza, estaba casi seguro de que alguien me esperaba en la casa, es decir en mi pieza, mirándome primero la claraboya y después a mí en la cama, o sentado de espaldas a la puerta. Pensando en eso ya que no había dormido mucho, hacía muchos días, seguramente semanas, que no dormía mucho casi nada, se me ocurría de repente que eran años, desde mi lejana infancia, que no lograba conciliar un sosegado, infinito, profundo sueño, al divisar desde lejos la casa sentí una angustiosa alegría y casi corrí para llegar a ella, pensaba sólo en mi oscuridad, en mi claraboya, en mi puerta, ahora, en esa angustia había un deseo urgente de que hubiera alguien esperándome en la puerta para decirme algo tajante, definitivo, sin regreso, sí, estaba deseoso de que hubiera alguien esperándome en la puerta de la calle, sentado en el mármol blanco de la entrada donde esperé cada tarde a mi padre en mis inolvidables años de la infancia, o sentado en las cajas, cajones, castillos de madera que descargaban los camiones sureños en la vereda de la fábrica de muebles y que ocupaban, con gran furia de mi padre, también la vereda frontera, la nuestra, pero no había nadie, nada, sólo un perro rondando humedades, oliendo diminutas sombras, huellas lejanas, al entrar me divisó mi padre desde la penumbra, donde había estado fumando desde que anocheció, como acostumbraba hacerlo desde que regresó de la cárcel, pues así temperaba sus nervios, pues siempre estuvo temiendo que una vez más lo fueran a buscar los agentes y lo cogieran con insolente delicadeza, listo, don Adolfo, ya vamos apurándonos, viejo, pero no había nadie, nadie había venido a buscarme esa tarde, pero mi padre había levantado la cara para mirarme con toda su persona, había abierto los labios para decirme algo pensativo, pero no dijo nada, suspiró y preguntó suavemente ¿Estás cansado? No sé cuánto tiempo había pasado desde que estaba tendido en la cama, no digo durmiendo, ni siquiera soñoliento, aunque debería tener sueño, aunque, no hacía muchas horas, o hacía muchas horas, fue ayer, fue antes de ayer, la sentía esperar en su carne tibia y yo botado en mi cabeza, botada mi cabeza en su costado, tratando de alzarme un poco de llegar hasta su boca, por lo menos hasta sus palabras, pero tenía tanto sueño, tiene tanto sueño este animal decía una voz sonriente, picaresca, burlona, nada de conmovida, sólo furiosa o desairada, era su voz y no era su voz, me había dado cuenta que cuando me tendí junto a ella no sólo había cambiado de voz sino también de facciones como si fuera otra mujer, menos fría, menos difícil, mucho más tibia la que se estaba amontonando a mi lado y no decía nada en sus labios ansiosos, en sus labios que pedían una forma, un derrotero, una ilusión, un viaje, una espera, una sonrisa sentados los dos solos, tú y yo solos al margen de la vida, del liceo, del diario, del profesor Padilla y del otro profesor, ¿No había otro profesor desfigurado, enflaquecido, tosiendo sus pesares encendiendo sus cigarrillos y sus toses por el lado afuera de nosotros?, no, sólo pasan autobuses vacíos, taxis vacíos, tranvías vacíos hacia el cementerio y las quintas, decía ella con una voz plácida, por qué tienes que inventar profesores en este pobre colegio, con uno no basta, con una cantina no basta, oh amor, oh desolación, oh cansancio, se movía un poco hacia mí alejándose de mi cuerpo, pero acercándose a mí, sentí sus manos, qué suaves manos tenías, qué manos más pequeñitas y curiosas, como juguetes de género de carne de flores tenías, alguna vez en alguna parte había conocido a una mujer de manos ásperas horribles y toscas, manos de carpintero, de obrero de la gleba, de lavandera en los prostíbulos de la calle Ricantén, se sonreía, no la sentía sonreír pero sabía que lo estaba haciendo, vistiendo esa luz y ese silencio para mí, a esa altura, en esa lejanía no había nadie en el mundo, Padilla se estaba ahogando en un charquito de vino agarrado inútilmente a un librito, el libro, con el viento que soplaba bajo, como escoba de viento se deshojaba y se lo llevaba echo pedazos, yo lo veía deshacerse a Padilla, sentía deshacerse al librito, volaban las hojas y junto a ellas crujían, cogidas y sin letras las hojas del otoño amarillo, me alcé un poco en esa oscuridad luminosa, le vi o le adiviné o le inventé su cara plácida esperándome, sus labios se abrieron, me alcé un poco en la cama y subí hacia ella para beber en su boca un poco de sueño, desde 1918, en esa primavera que murió mi madre, que no duermo nada y desde entonces no me acostaba, no se acostaba ninguno de mis hermanos, esperando que llegaran los agentes a buscar a mi padre debajo de las alfombras, detrás de los abrigos de luto colgados en la entrada de la mampara, el viento la remecía, los gritos remecían la mampara y pensaba, hazte a un lado, amor mío, señorita Lara, María Inés, hazte a un lado, haz como él ya se escondió para todos estos años y no le harán nada en su cara de hombre viudo y buenmozo, ahora lo sentía llamar, ahora me estaba hablando con la misma voz del otro día cuando estuvo un rato sentado en las tablas amontonadas en la vereda preguntándome con insistencia y suavemente ¿Estás cansado? Eso mismo me estaba diciendo otra vez, inclinado sobre mis ojos, atestiguándome, ahora me cogí de la camisa y no tuve que remecerla mucho, Carlos, Carlos, ahí afuera están unos tipos, amigos tuyos, compañeros tuyos, dicen que pasó algo grave a una niña a quien tú conoces. Cuando salí a la calle, despeinado, en mangas de camisa, con mi vestón colgando por el suelo, apenas cogido de mi mano, que quería soltarlo, que quería desesperarse e ignorar todo lo que había pasado, o saber todo detalladamente o todo lo que había ocurrido, no tuve que decir nada, sólo caminar junto a Padilla, quien me cogió del brazo, luego me soltó, luego me cogió nuevamente, me apretó el brazo y sólo entonces me dijo buenas noches, Carlos, perdona que ande un poco bebido, ahora tenía que hacerlo, ahora tenía que agarrarme de un poco de vino para soportarlo, pero no quisiera estar ni parecer muy desagradable, ¿Crees que estoy un poco decente? Se apartó un poco para que lo mirara, su camisa limpia, aunque gastada, su corbata de colores brillantes pero manchada, sus zapatos apresuradamente lustrados y amarillos. Yo caminé a su lado y no dije nada, sólo sabía que teníamos que ir rápido, echamos a andar a buen paso y en la esquina de Maestranza, Padilla hizo parar un taxi y cuando estábamos silenciosos uno al lado del otro me agregó, gracias por no preguntarme nada. ¿Muerta?, le pregunté. No, pero herida, muy mal herida. ¿Albónico? No, por supuesto que no, dijo con repentina alegría o furia, no podría fijar la intención de sus palabras pero de todas maneras parecía entusiasmado o furioso, aliviado de que, por fin, hubiera ocurrido algo. No, por supuesto que Albónico no pudo hacerlo, aunque lo hubiera querido, no tiene coraje, es un pobre espíritu sin muebles, no se atrevería, ni consigo mismo se atrevería. ¿Un balcón? ¿Un veneno? No, algo más corajudo, pero todas estas horas me he preguntado por qué no le disparó a él si estaba furiosa. ¿Podremos verla? Si se salva podremos verla, si se muere podremos verla y acompañarla si se salva ¿No? ¿Familia? Nadie, nadie en el mundo, en la ciudad o en el campo, sólo alguna amiga que no se atrevió a estar a su lado cuando la trajeron, el gato está durmiendo a sus pies. Sí, el gato había estado durmiendo a sus pies anoche, antenoche, cuando estábamos los dos escuchando el ruido del tranvía Bellavista que daba la vuelta en dirección a la ciudad, el ruido de nuestros corazones que daba vueltas hacia nosotros para buscarnos y no encontrarnos, parecía que nuestra sangre, nuestro pulso, nuestras ansias, nuestros cansancios pasaban por la vereda de la calle hacia la oscuridad, hacia las luces del teatro Atenas en la esquina de la calle Maestranza mientras yo le cogía las manos y le decía sin besarlas, sólo mirándola allá al fondo de sus ojos donde agazapada me miraba, tienes extrañas manos, no son lindas, dijo ella. No, no son lindas, hasta son un poquito francamente feas, le dije sin disimulo para ser sincero en aquel minuto que no podríamos detener, pero me gustan tus manos y no te voy a decir por qué las tienes tan ásperas, qué trabajos has hecho, qué sufrimientos has soportado y manejado con ellas. Todo sufrimiento es trabajo, dijo con desprecio y se acordó seguramente de Padilla, pues se empezó a reír, una risita segura de sí, luego nerviosa, luego convulsiva cuando yo le desabotoné la blusa y le miraba los ojos, el fondo de los ojos y le cogía la boca, la superficie de la boca y no se la soltaba. La sentí estremecerse a mi lado y formular en sus labios una pregunta, me cogió las manos y las miraba, las colocó calzándolas junto a las mías, se echó hacia atrás un poco de lado y suspiró, un suspiro no de angustia, sólo de espera, no sólo de espera al hombre que era yo sino también a la vida, al próximo año, a los próximos años, apagamos la lamparita y la estuve buscando en la oscuridad y en la oscuridad se quejaba y me iluminaba un poco, cuando estuve a su lado lo sentí, lo sentí saltar primero desde la ventana a la gran cajamundo que estaba en el suelo, adosada a la mesita y desde ahí a los pies de la cama, ella se sonrió y se encogió un poco, ahí me deslicé un poco acercándome desde tan lejos, desde los años de mi niñez y de mi adolescencia cuando salía hacia las cinco de la tarde del Colegio de los Padres Agustinos y me perdía, entusiasmado, curioso, asustado, despedazado entre las luces y los ruidos del tránsito y las caras que pasaban ahí arriba por la vitrina, por los alambres de la luz, por los árboles que comenzaban a florecer, cuando el gato saltó hacia su pecho, por supuesto que me arañó un poco la cabeza y la frente, sólo sentí el calor en la boca y en las manos, me apreté a ella y el gato estaba buscando un sitio qu redondear en sus pechos pero riéndose ella, riéndose nerviosamente lo cogió con una mano y me lo pasó y en la otra me dejó su pecho, el racimo de su pecho, de su cuerpo, de su soledad, pues yo respiraba esa soledad y la juntaba con la mía, después estuvo besando un poco los rastros de los arañazos, inventando huellas de zarpazos en el cuello, en el vientre, en el comienzo de los muslos, entonces se estiró y me recogió, fue seguramente entonces, un minuto antes, un minuto después cuando me quedé dormido, agradablemente desparramado y derretido y sentía sus manos vagar por la oscuridad, sentía sus ojos, buscarme en la oscuridad mientras su cabeza, con su mechón de pelo quemado se inclinaba como si mi miserable ser que eran mi cuerpo débil y mi alma llena de dudas fueran un poquito de agua, un trocito de ser para su infinita ansia, entonces sentimos la mampara, el golpe de la mampara, la puerta, el crujido de la puerta y vimos a Albónico en la penumbra, ella encendió la luz y lo vimos vergonzosamente borracho sujetándose en el vano de la puerta para no caerse, inclinado un poco como si ella y yo fuéramos visiones. No, no somos visiones Albónico, puedes entrar, amor mío, dijo ella y se bajó de la cama y sin ascos le dio un gran beso en la boca. Pero Albónico ahora no estaba, Albónico ahora había desaparecido, especialmente porque ella había hecho aquello, mientras él estaba dormido, lo había hecho de noche, cuando recién él entraba una vez más por la mampara y crujía la mampara y la puerta estaba abierta y ella estaba sentada en la oscuridad mirando hacia la calle y no volvió la cara cuando él entró y no le contestó su saludo cuando él se quitó el abrigo y le disparó en el lecho y cuando se quitó el sombrero y lo fue a colgar en la perchita y se acercó y la estuvo mirando. Cuando regresó del baño, contaba Padilla, pues Albónico se lo había contado cuando en la comisaría le dejaron la citación para el juzgado, ella estaba acostada, con la luz encendida, durmiendo o simulando que dormía. Como la pequeña escena lo había puesto un poco nervioso, Albónico tomó unas píldoras para dormir y ya no supo nada de él ni sintió el ruido de la calle ni las palabras de la señora Estefanía cuando golpeaba suavemente la puerta para preguntar si se les ofrecía algo y para decir buenas noches. No, no la pudimos ver, y era mejor no verla, ese olor a sangre, a desinfectante, a anestesia me producía más que náuseas terror, esos colores blancos repitiéndose en todas partes, hasta en la mirada perdida de Albónico, quien no me reconocía o no me quería reconocer, esos colores blanquecinos brotando en la barba sucia, ligeramente pulida de Padilla que se cruzaba de brazos y no se atrevía a abrir esos labios llenos de filosofía que ahora no servía de nada, que no había servido jamás de nada, pues primero sufres y después haces filosofía, primero asesinas, torturas, atormentas y después cuando eres viejo, inofensivo, viejo, ciego, paralítico, echas unas palabritas de conformidad filosófica, de determinismo maldito, blanco el cielo, las paredes, la taza del agua, el escupitín, las ropas, la enfermera, el médico, el cirujano rojo estaba de color blanco, de color de una cantidad de sábanas que por aquellos años, por todos aquellos años, con sus viejos profesores, ahora podridos bajo los acacios, con sus ayudantes, algo paralizados en la sillita de ruedas o en la cama de fierro, había estado juntando para esconder sus operados, sus despedazados, sus desangrados, sus anestesiados, toda aquella cantidad de gente indefensa, ligeramente sufriendo un dudoso malestar que caía bajo las manos ávidas de los doctores, bajo las tenazas, los bisturíes, los serruchos, las sierras, los punzones del cirujano ávido de sangre, de músculos, de huesos, cuanto más robustos mejor, cuanto más sanos mejor, cuanto más jóvenes y llenos de ansias de vivir y de ambiciones y de sueños realizables, mucho mejor, los doctores blandos y fríos comiéndose el pan de la muerte, bebiéndose el agua blanca de la muerte en sus dispensarios, consultas, casas de socorros, y nosocomios, por afuera pasaban en el cielo nubes blancas, por la cara borrada, blanducha, desintegrándose de Albónico pasaban nubes blancas, de repente Padilla se tornaba pequeñito y blanco y de su silla saltaba por la ventana y se iba volando convertido en un paquetito algodonoso de nubes blancas que propician la primavera o mantienen sigilosamente en servicio el invierno helado y blanco que crece en los blancos de goma blancos de los doctores. Después no nos vimos muy seguido todos nosotros, yo, con el diario me dirigía hacia la ciudad, para pasar por un restaurant, por un cine, por una librería nocturna, me asomaba por casualidad a las ventanas del bar restaurant y lo veía ahí a Padilla, inmutable o incambiable, con la misma borrachera de hacía ya dos o tres años, rodeado por otros amigos, todavía no tan contaminados ni húmedos ni desteñidos y teñidos por el vino como él, yo miraba cuidadosamente para ver si en algunas de esas noches divisaba entre los contertulios a Albónico, no, Albónico no estaba ahí, tampoco en el Instituto donde hasta hacía dos o tres años había dado sus clases de francés de gramática para los alumnos del primer año, de literatura para los de quinto y sexto. En el colegio nadie sabía mucho de la señorita Lara, unos decían que estaba enferma, que había quedado paralítica, ciega, deshecha la mitad de la cara horrible, que Albónico se había cambiado de liceo y seguramente de ciudad, que se había casado con la niña que fue siempre su novia y que apresuró su matrimonio, extorsionándose cuando supo el fatal accidente. A ella no la vi más, sólo tenía el presentimiento de que estaba viva, de que seguía viva, a veces pasaba, a las horas de salida de los alumnos por la esquina del colegio, pero jamás la vi bajar del autobús o salir de las aulas, alguna vez, no más de dos pasé por la casita en que ella había vivido y en que yo la había besado, la primera vez, una tarde de sábado, hacia la noche, vi que estaban sacando unos muebles que subían a un camión, me paré disimuladamente para verlos y conocerlos, pero no eran ellos, no eran de ella, la segunda vez, el próximo invierno, un domingo por la mañana volví a pasar por la casita y vi que la estaban demoliendo, me paré un poco para mirar el rinconcito donde habíamos pasado unas horas inolvidables no hacía muchos años, ni recordaba ya cuántos, traté de imaginarme, y tal vez lo vi y no quise decírmelo, el rinconcito donde estuvo su cama, su cajamundo, desde donde saltó el gato sucesiva, a la ventana, a los pies de la cama y a su pecho, empecé a sentirme agitado, acalorado, nervioso. Una tarde de primavera, en realidad muy avanzada la noche, pasaba yo por la arboleda del Parque Forestal, cuando creí verla caminar, atravesar la calle en la misma dirección, pero al otro lado de la calle, sí, su paso decidido y algo desmadejado, como quien se apura porque tiene sueño, un gran sueño, un paso también orgulloso, definitivo, diluyente, su modo de levantar la cabeza y mirar la hora en el cielo, las nubes en los árboles, de mirar orgullosa y desamparada el mundo que fluía a su alrededor, podrían decirme que era ella, aunque algo en su porte, es decir en su hombro, es decir en su cabeza, es decir en su cabecita me indicaba que si no era es que se había muerto, si aquella niña caminaba con dificultad disimulada por su orgullo, había un esguince, una torcedura, un dolor que la atravesaba por el pecho hacia la garganta y la cabecita y recordaba las palabras de Padilla, una tarde en que me invitó a tomar té, té y no vino, sí, dijo, ¿Hace tanto tiempo no? se diría que en el siglo pasado hemos vivido todas esas tristes anécdotas, Albónico está en provincia, engordando su casamiento y ella, Carlos, ella, no la he visto yo, pero me han dicho que se ha quedado un poco desfigurada, que no camina tan orgullosamente como antes lo hacía. Al verla alejarse, apresuré el paso para alcanzarla, pero me vino toda la timidez y la cobardía, pero tenía algo que decirle, tenía algo que aliviarle, si la hablaba, si la detenía para no mirarla, ¿No pensaría con razón ella que lo hacía por curiosidad, para gozar de ese espectáculo que era ahora ella? Pues yo podría no sólo mirarla sino compararla. No. No la volví a ver hasta muchos años después, cuando ya las canas me comenzaban a invadir las sienes en aquellos años de comenzada la Segunda Guerra Mundial. Yo era periodista, es decir, seguía tratando de ser periodista, escribía en un diario y comenzaba a ser un poco conocido. Los compañeros que antiguamente tuve en el colegio o en la universidad, y que apenas reparaban en mí, de repente, al toparme en un café, en una tienda, en el vestíbulo de un cine, se recordaban perfectamente de mi persona, estaban tan pero tan contentos de ver que había llegado a ser lo que ellos siempre dijeron: un tipo que escribía parrafitos en los diarios que circulaban en todos los barrios y en todas las capas sociales. Uno de esos compañeros me invitó una tarde a tomar onces a su casa, ¿Digamos para el sábado, Carlos, alrededor de las seis, te parece? Eran las vísperas de Navidad y acepté la invitación más por curiosidad, porque el periodista siempre debe tener las narices largas y el olfato interminable, no, no me faltaban temas por esos años para llenar mi página en el diario con chismes de juzgados, de prostíbulos, de academias, de iglesias, de hoteles de lujo, de casinos de juego, de próceres de la política o de la delincuencia. Y en el autobús que me llevaba hacia la cordillera, por la luminosidad de la tarde, por la luminosidad de mi alma, pues dentro de algunos meses contraería matrimonio, me acordé intensamente de ella, como llamándola. No, no la había vuelto a ver, se habría casado también, todos los que íbamos dejando de ser jóvenes nos sumergíamos en el matrimonio o en la otra soledad, la de la amargura, se habría recibido de profesora, de francés, de matemáticas, andaría viajando olvidando su juventud para recordarla en sus viajes por Buenos Aires, por los países del pacífico, Venezuela, con sus desiertos, sus bosques, sus pasiones de gran temperatura, Cuba, con su hermosa gente tan rabiosamente sufriente y llena de esperanza, oh, Cuba lo que he llorado yo con la pobrecita y orgullosa Cecilia Valdés, suspiraba, viajar, viajar antes de que me case con la vejez, porque nadie se va a casar conmigo, Carlos, menos Albónico, menos ahora Albónico, ya le hemos dado pretexto para que se porte como lo que es, un canalla, creo que voy a matar a Albónico, a ti no, a ti no te mataría, aunque ya me estás dejando, no quites la cara, ya te fuiste de mi lado, ya te evaporaste junto con tus besos, a ti no, no te haría nada, estás lleno de vida, tienes que formular esa vida, no hagas como yo, que soy una sedentaria, soy sólo un mueble para los hombres, a veces monstruosamente feliz de serlo, como tantas mujeres, vienen y se tienden sobre los cojines muelles o erizados que somos. No, no la había vuelto a ver y ahora tampoco quisiera verla, cómo le diría, cómo la miraría, mirándola a la cara, a su cara herida, quemada, transformada, que en el próximo mes de marzo me voy a casar. Me bajé del autobús y caminé por la sombreada avenida del campo, la ciudad quedaba muy lejos, había ahí otros ruidos, silvestres, verdes, aireados, lleno de vientos y de nubes, era un barrio de grandes y antiguas casas quintas a las cuales aún no llegaba la civilización, las calles, en realidad anchos caminos rurales, no estaban pavimentadas, la tierra volaba libre por esas distancias sin límites en el verano, se convertía en un fantástico lodazal en el invierno, mezclado con una millonada de hojas de higuera, de viñas, de naranjos, mezclado también con el libre y limpio mugir de vacas invisibles cuyas sombras veía yo danzar en la oscuridad impregnada de humo y de suaves rasgueos de guitarra, el sitio me era conocido, el barrio me era muy amigo, por ahí vivía el gran poeta Pablo de Rokha, que había de marcar indeleblemente mi juventud vacía de resonancias, mi madurez canosa ya, pausada ya que oteaba el horizonte de la tierra de la cordillera, del inmenso mar Pacífico para extraer, revolviendo materiales de la tierra, recogiendo materiales de los seres de la tierra que se aman y se odian, se pelean y se separan denodados y pesarosos días queremos olvidar y no podemos olvidar, ese cuadrito de tierra que recogiera lo poco que fuimos si no queremos irnos a través de los brazos alzados a la inmensidad del crematorio irnos en una bocanada de humo, estaba melancólico, no estaba triste, por mi mente, ahora que está libre, liberado en el mundo del campo en el mundo inmovilizado, extático del tranquilo campo que resume y absorbe tantos dolores, tantos sueños, tantas desesperanzas, estaba yo más inquieto, más exterior mis sensaciones, más dispuesto a recibir y enfrentarme con las jamás sospechadas experiencias de mi cuerpo que traspasaba, por esos días, el punto exacto donde la vida y la joven muerte te indican que estás siendo vertiginosamente joven y que te apures en vivir porque después, dentro de veinte, de treinta años, ya no se vive, sólo se va cayendo de año en año hasta llegar al fondo donde ya no existes, donde jamás exististe si no dejaste huellas indelebles en la carne con que te casaste, en la carne que hacías en tus apacibles noches de descanso, de olvido, de espera. Cuando me enfrenté a la enorme reja y cogí el hilito que allá en el fondo, donde se distinguían ya luces interiores en el lento crepúsculo atardecer de verano, sentí un estremecimiento, como si no debiera haber ido a esa casa, como si no debiera haber sido tan fácil y tan blando para aceptar una invitación a tomar té, quizás a comer por una niña a la que no veía desde mis años de estudiante universitario en los cursos de inglés, pero ahí venía el perro sonando, ahí venía la Inés sonriendo. La Inés no era bonita, era sonriente y poco segura de sí misma, yo la había conocido cuando apenas traspasaba ella la curva de los quince años y yo acababa en aquel año treinta de cumplir veinte, fuimos un poco amigos, fuimos gravemente amigos cuando hablábamos de nuestra situación, de nuestro hogar, de nuestra familia, de nuestras ambiciones, ella sólo quería recibirse de abogado, nos paseábamos en el gran patio embaldosado de rojo de la novísima escuela de leyes, en los faldeos del cerro San Cristóbal, ejercer la profesión, ingresar quizás a un ministerio, probablemente al de relaciones exteriores para ser enviada a encanecer a algún consulado de América del Norte, quizás del Canadá, aunque no soy nada buena para el frío, se sonreía, tenía cuidados dientes y en ese trozo de su cara era mucho más joven y duraría más esperando cosas fantásticas de la vida, aunque finalmente, la pequeñita Inés sólo tocaría en suerte un oscuro cargo en una fiscalía de segunda clase, un pedazo de herencia de sus padres, una vez muertos ellos y hecho pedazos el pequeño fundo de tierras de rulo que tenían en la provincia de Temuco, sí, ahí donde se educó Pablo Neruda, alguna vez lo vimos pasar con mis hermanas por la playa cuando iba del liceo a la estación, de la estación a su casita pobre, apretando aterido por el destino y borrado por el polvo de la frontera sus cuadernos de colegial, sus libros de poesía que le prestaba Gabriela Mistral, que era su profesora, apretando los dientes, en su cara tosca, asombrada, rural también en su ropa modesta, en sus pantalones largos demasiado cortos, algunos sustos poéticos, ese deseo de morirse trágicamente suicidado que era el signo más visible de su fantástico optimismo ante la vida que lo transformaba para que él la transformara dentro de algunos pocos años, estás quedando canoso me dijo sonriendo con alguna seriedad trascendente Inés, dándome flojamente la mano, para reírse de mí, para acercarnos por el recuerdo, porque ella, cuando me presentó a su hermana Lucía, que había sido profesora y ahora estaba jubilada, cuando me presentó a su hermana Maruja, que estudiaba en Temuco y viajaba por la zona del sur siempre en bicicleta, fantásticamente desolada y desolada en bicicleta, de resultas de lo cual una tarde sufrió una fatal caída y quedó algo resentida de la cadera, de manera que ahora, decía Inés, caminaba lentamente y había, según los hombres de la familia, según los pololos que rondaban las vecinas polleras; sí, había cierta melancólica y tenaz sensualidad en su modo de ir avanzando como si no avanzara, camino del dormitorio, del confesionario, finalmente del altar que ella siempre transformaba en un perfumado y nupcial lecho de matrimonio por pasión, sí, yo siempre había estado dando la mano como si no la diera, como si no existiera esa caridad y esa largueza en mi alma de coger mis dedos como un montoncito de monedas gastadas, usadas, brillosas de tanto circular por bolsillos y ventanillas para significarle a esa mano que se me tendía en señal de aquiescencia y quizás de protección que allá al extremo de la mano, allá arriba, al extremo del pecho algo delgado y tuberculoso, yo existía soberanamente para mí, que era un solitario, un inventor de islas. Sí, contesté, tenía que encanecer pronto, porque me voy a casar, en realidad me caso dentro de pocos meses, ¿Antes de recibirte de profesor de inglés? ¿Antes de recibirte de abogado?, dijo ella con cauto desprecio, como si no estuviera segura de ese desprecio y no quisiera mirarme a la cara, a mis ojos oscuros con ojeras para encontrar al muchachito que yo había sido hacía pocos años, a la niñita que era ella, niña de calcetines largos, que provocaron risas, comentarios, murmullo molido de sarcasmos en la escuela de leyes, cuando, durante el examen previo y reglamentario de los alumnos, ella, gritó, un grito herido, deslumbrado, familiar, rural, señorita le gritaba a la enfermera señorita, ¿También tengo que sacarme el corpiño? ¿Te gusta? Me señaló el gran patio, una chacra no demasiado grande pero espléndidamente dibujada con sus jardines de rosas, de dalias, de margaritas, de violetas, por entre cuyas raíces caracoleaba un poco de agua perfumada, un agua limpia en la que se reflejaba la tarde dorada y carmesí, estuve caminando un buen rato, sentía vuelo multiplicado de abejas, el canto susurrando de algunos palomos, el lejano y señorial llamado de alerta y de amenaza de un gallo de la vecindad, parado muy tieso en un palo y también en su canto, por ahora, en el luminoso cielo se perdían unos aviones, pasaban golondrinas en suave y rumorosa formación, hacia mí venía el efluvio de las rosas y de las violetas, tanta calma me ponía nervioso, tanta calma me dejaba a merced de la vida y de los acontecimientos, tanta calma, ni siquiera mucho menos de la que en ese momento venía hacia mí para que la respirara, estaría jamás, jamás en esta vida despierta al alcance de mis manos, de mi cuerpo, de mi absoluto desamparo, sí, era un desamparado por eso había decidido casarme dentro de algunas semanas, mientras caminaba en dirección a la avenida por donde había entrado, pasaban carretas con legumbres, niños de pie descalzo arrastrando un miserable juguete, pasaban perros, una cantidad de perros y algunos jinetes exquisitos, demasiado limpios y relucientes para ese barrio aún adormecido, en un sitio cercano se sentían risas y gritos de juventud, ruido de agua, exclamaciones que se sumergían, hay una piscina de natación, me diría luego la Inés, hasta tarde se están mojando ahí en el agua que ilumina a veces la luna y cuando está nublado los focos que bajan de las tribunas, en eso, sentí que detrás mío se abría una puerta, una puerta de mansión exclusiva, la puerta de entrada de la casa, la puerta por la cual debería entrar dentro de un rato cuando la Inés viniera a buscarme para invitar a pasar al comedor, ya se habían encendido los hermosos faroles amarillos ocres incrustados a ambos lados en la pared, pero yo no miraba eso, no escuchaba sólo eso, estaba mirando a la persona que, de rodillas en las baldosas de la entrada, pasaba parsimoniosamente un trapo con bencina por la pequeña entrada, era una mujer joven y estaba de espaldas, yo estaba tras unos arbustos, tenía unas hojas de una enorme rosa entre mis dedos y me quedé suspenso mirando a esa figura, sí, ese cuerpo algo inclinado, agachado en su trabajo, agachado en una probable enfermedad, me traía un cuerpo, un recuerdo que no me puso nervioso sino que sólo me hizo coincidir, la cabeza era la misma, el pelo, tapado coquetamente con un pañuelito de seda a cuadros, era el mismo, esa forma de cuello antiguamente orgulloso, ese modo un poco despectivo con el brazo que trapeaba y pulía la entrada manejaba su quehacer, el otro brazo echado a un lado, apartado del trabajo, del cansancio del otro, parecía mirarlo y criticarlo como diciéndole ¿Por qué lo haces, como puedes soportarlo? No era una mujer vieja, tampoco joven, no podía distinguirla muy bien y decir que yo la conocía o que la había visto antes en alguna parte, pero sí había un parecido en esa figura y en sus movimientos, especialmente en su inclinación algo sensual o simplemente solitaria del cuello orgullosamente inclinado presidiendo con furia y desprecio aquel bajo menester de repasar la entrada, ese parecido me hacía sonreír descansado, me hacía sonreír con seguridad, sólo cogido por la coincidencia, sí, hacía un rato no más, mientras venía en el autobús, revisando mi vida, juntándola ahora que dentro de un tiempo sería un hombre reposado, economizador, atornillado en el matrimonio, al recordar los años vividos, naturalmente, y sin pensar por qué había pensado en ello, me había acordado de ella, de nuestra corta y violenta amistad, violenta por el recuerdo y por la seguridad de lo provisorio, y me había preguntado y me había respondido que jamás la había vuelto a ver, ni siquiera sabía si estaba viva, si vivía en la ciudad, si andaba viajando, haciendo costuras en alguna sastrería de barrio pobre o en un sector de Providencia, pues era muy hacendosa y yo misma me hago los vestidos que Albónico me quitaba a veces, decía con sarcasmo y no sabía yo si el sarcasmo residía en que Albónico le quitara los mismos vestidos con que ella se tapaba o sólo porque lo hacía a veces. No, no la había vuelto a ver, tampoco me había atrevido a preguntar por ella, a pedir su dirección para escribirle, para preguntarle cómo la trataba la vida, pero ¿Cómo ha de tratar la vida a una persona sola, a una mujer que un día intentó suicidarse? Sí, aquella figura que alguna tarde vi atravesando el parque, apresuradamente, como si fuera a una cita importante para sus manos, para sus trabajadoras manos, o para su corazón para su apasionado corazón, era seguramente ella, en eso no cabía duda, en eso estaba seguro y si no lo hubiera estado no me habría sentido tan extrañamente angustiado y nervioso, tanto que tuve que sentarme en un banco del parque y extraje un cigarrillo, pero estaba tan nervioso que en lugar de encenderlo a él, me encendí los dedos y me puse furioso y esa furia me hizo olvidarme, cuando miré hacia el puente ya habían pasado, algunos minutos, no, no había nadie parecida a ella, ni siquiera sabía si había atravesado el puente o se había ido caminando al borde de las cantinas, como hacen los tipos y las tipas que la vida desahucia y que se lanzan, hacia el otoño, más en el otoño que en el invierno al río. Al alzar la cabeza ahora en el jardín y al mirar hacia la casa, ya no la vi, ya estaba cerrada la puerta, me acerqué, sentía a la Inés hablar adentro, reírse cautelosa o satisfecha, después hablar por teléfono, estaba yo junto al felpudo que yacía en el suelo, en la tierra, puse mis pies en él, miré los ladrillos brillantes, tanto que en ellos, al inclinarse un poco, adivinaba vagamente mi figura, como si yo estuviera deshaciéndome muy pero muy lejos, me incliné y acaricié esas baldosas, no sabía porqué, puerilmente no sabía porqué, si me hubiera visto la Inés me habría mirado asombrada, pero no diría nada, pero se entraría al dormitorio, llamaría a la Maruja, a la Lucila y les diría lo que yo acababa de hacer y ellas, sigilosamente me mirarían a los ojos, pero por el pasillo venía la Inés a buscarme, estaba un poco encendida, como si se hubiera estado endureciendo consigo misma, no la había sentido gritar, la Inés siempre, desde niña, había gritado mucho, en la escuela de leyes, parque frontero a la escuela, en las calles del centro, en los salones de té donde nos reuníamos los estudiantes de regreso del cerro Santa Lucía, cansados, hastiados y hambrientos, ardiente la cabeza con tantos números del Código Civil, con tantas sentencias dogmáticas y definiciones exclusivas, el que da lo que te debe no se presume que lo dona, hicimos unos pastelitos para ti, y le vamos a poner una velita de cumpleaños, niño, dijo la Inés riendo alborozada, un alborozo que no me parecía natural, alguna vez, no sé, creyó ella, temí yo, no recuerdo, no quiero recordar episodios ni circunstancias que suavemente te llevan hacia una puerta o una cara, o una boca, podríamos casarnos, sí, dijo la Maruja, porque si te vas a casar es como si recién hubieras cumplido tu primer año de vida, la Inés se paseó inquieta y gritó hacia adentro, cogía mientras gritaba, en realidad un grito muy mesurado y alfombrado, y mientras gritaba, cogía una campanita de lujo, un gong, una música para llamar a la empleada, como la empleada no venía en seguida se puso de pie y fue hacia adentro, la sentí hablar, luego discutir, sentí una voz ronca, orgullosa, algo nerviosa, que le contestaba, no escuché las palabras, sólo el tono y el tono me llevaba a la visión inconclusa de aquella tarde tan lejana en el parque Forestal, la Inés entró en el comedor arreglándose el moño y luego vino la empleada, al ingresar desde la cocina, había que bajar un escalón, al hacerlo tropezó y algo cayó al suelo, una tacita, un platillo, un poco de crema o leche, entonces ella levantó la cabeza, la disparó como lo hacía muchos años atrás, cuando nos encontrábamos en el liceo, en la calle, en su casa, al borde de su cama, le miré las manos, las mismas manos, más trabajadas, ¿Más ásperas? y su fiera cara, con el pelo corto, quemado junto a la sien derecha donde se había hecho el disparo que le dejó como recuerdo indeleble aquella torcedura de pajarito asustado con que me miraba, sí, por lo demás yo sólo me di cuenta de ello, nadie más, si estaba nerviosa era natural, acababa de tropezar indebida, indecorosamente, la Inés se puso nerviosa también, ligeramente dispuesta a insultarla, que no lo haga, por Dios que no se atreva a hacerlo, pensé y apreté mis manos, ella se acercó mirándome, sonrió con rabia, con dulzura, con rabia sonreía hacia atrás, hacia los años transcurridos, trataba de enderezar la cabeza, pero ese gesto le sombreaba y la desnaturalizaba, dejó la bandeja en la orilla de la mesa, se entró rápidamente a la cocina, trajo un escobillón y una palita, recogió los trozos de porcelana, después, desde su cintura se deslizó el trapero y comenzó a limpiar la entrada parsimoniosamente y mientras lo hacía me miraba y mientras lo hacía se demoraba, se tornaba para que la viera de espaldas, de lado, para que la mirara cuando se agachaba como se agachaba antiguamente en el banco, en el banco del liceo, del parque, de la cafetería, en el banco que había sido su cama en una tarde cruel e imborrable, pero estaba pasando con sabiduría, con sumo cuidado, casi como una ceremonia religiosa, el trapero por la entrada, tanto que la Inés se puso nerviosa y la miró dos veces con furia, pero ella no la veía y no la miraba, sólo me miraba a mí y luego tampoco lo hizo, terminó de pasar el trapero por sobre las baldosas, en realidad sobre el pasado, sobre nuestra juventud, todo lo que habíamos hecho, los mutilados de la vida que habíamos sido, que seguíamos siendo, nos estaba borrando a los dos, la niña furiosa y soñadora que había sido, aquella que una tarde había hablado de pasiones, de pasiones en los libros y en la vida, me decía satisfecha, divertida segura de sí, vaticinándome un destino si quería buscarla y encontrarla, a mí me besan todo el cuerpo, desde mi furibundo pelo hasta los pies, yo le exijo a Albónico que no se apresure y no se transforme en un burócrata del amor, por eso no nos casaremos nunca, por eso nunca me casaré ni con él ni contigo ni con nadie, sí, todo eso estaba borrando, a mí y a ella y yo me preguntaba inquieto, mientras miraba la tacita de té y trataba de encontrarla en el fondo, y ¿Por qué entonces lo hizo? ¿Y por qué ahora no lo hizo? Oh, Dios, ¿Cómo ha podido soportar? Levanté mi cara para preguntarlo, para preguntarle a la Inés, a la Lucila, estaba hablando desde el otro cuarto, Carlos qué felicidad, has venido, ya voy dentro de un minutito a abrazarte, para preguntarle a la vida, a esa mansión en que estaba sumergida, para preguntarle a ella, ¿Por qué entonces, cuando eras joven? ¿Por qué no ahora, ahora que ya no eres y que sabes que ya no eres? Pero ella se había ido hacia dentro y había desaparecido.

Domingo, 16 de diciembre de 1979, Wabern, faltan cinco minutos para las 11 de la mañana, día primaveral, con sol y nubes agradables de ver, pero cuando me levanté, a las 8 y cuarto, estaba nevando.

TRABAJAN EN LOM

Editorial Silvia Aguilera, Juan Aguilera, Mauricio Ahumada, Luis Alberto Mansilla, Paulo Slachevsky, Alejandra Caballero **Relaciones Públicas** Mónica Benavides **Asesoría Editorial** Faride Zerán, Naín Nómez, Tomás Moulian **Servicio al Cliente** Fabiola Hurtado, Elizardo Aguilera, Carlos Bruit, José Lizana **Producción** Eugenio Cerda **Diseño y Diagramación Computacional** Ángela Aguilera, Ricardo Pérez, Lorena Vera, Jessica Ibaceta, Edgardo Prieto, Claudio Mateos, Carolina Araya, Juan Valdivia, Juan Pablo Godoy, Marcos Ribeiro **Exportación** Ximena Galleguillos **Corrección de Pruebas** Milton Aguilar **Impresión Digital** Carlos Aguilera, Ángel Astete, Pablo Villalonga **Preprensa Digital** Daniel Véjar, Ingrid Rivas **Impresión Offset** Héctor García, Francisco Villaseca, Rodrigo Véliz, Luis Palominos **Corte** Eugenio Espíndola, Enrique Arce **Encuadernación** Sergio Fuentes, Marcelo Toledo, Marcelo Merino, Gabriel Muñoz, Miguel Orellana, Gonzalo Concha **En la Difusión y Distribución** Alejandra Bustos, Nevenka Tapia, Pedro Morales, Elba Blamey, Carlos Jara, Carlos Campos, Mary Carmen Astudillo, Nora Carreño, Georgina Canifrú, Gabriel Pérez, Soledad Martínez, Luis Fre, Jaime Arel, Cristián Pinto, Victoria Valdevenito, Nelson Montoya **Área de Administración** Marco Sepúlveda, Diego Chonchol, Mirtha Ávila, Manuel Madariaga. *Se han quedado en nosotros Adriana Vargas, Anne Duattis y Jorge Gutiérrez.*